D1585910

La fundación

Contemporánea
Teatro

ANTONIO BUERO VALLEJO

LA FUNDACIÓN

Edición y guía de lectura
de Francisco Javier Díez de Revenga

AUSTRAL

ESPASA

El papel utilizado para la impresión de este libro es cien por cien libre de cloro y está calificado como **papel ecológico**.

No se permite la reproducción total o parcial de este libro,
ni su incorporación a un sistema informático, ni su transmisión
en cualquier forma o por cualquier medio, sea éste electrónico,
mecánico, por fotocopia, por grabación u otros métodos,
sin el permiso previo y por escrito del titular de los derechos. La infracción
de los derechos mencionados puede ser constitutiva de delito
contra la propiedad intelectual (Art. 270 y siguientes del Código Penal).
Diríjase a CEDRO (Centro Español de Derechos Reprográficos) si necesita
fotocopiar o escanear algún fragmento de esta obra. Puede contactar
con CEDRO a través de la web www.conlicencia.com
o por teléfono en el 91 702 19 70 / 93 272 04 47

© Herederos de Antonio Buero Vallejo, 2000
© Espasa Libros, S. L. U., 2011
    Avinguda Diagonal, 662, 6.ª planta. 08034 Barcelona (España)
    www.espasa.com
    www.planetadelibros.com

Diseño de la colección: Compañía
Ilustración de la cubierta: Shutterstock
Primera edición: 12-XII-1989
Vigésima octava edición (duodécima en esta presentación): enero de 2019

Depósito legal: B. 27.754-2011
ISBN: 978-84-670-3333-5
Impresión y encuadernación: CPI (Barcelona)
Printed in Spain - Impreso en España

Biografía

Antonio Buero Vallejo nació en Guadalajara en 1916. Su primera vocación fue la pintura y cursó estudios de Bellas Artes en Madrid. En 1937 se alista en el ejército republicano, y terminada la guerra, es detenido y condenado a muerte por su participación en actividades clandestinas. Finalmente se le conmuta la pena por la de treinta años de cárcel, y en 1946, sale en libertad condicional. Consigue el Premio Lope de Vega en 1949 con *Historia de una escalera*, que es representada en el Teatro Español y con la que obtiene un rotundo éxito. Desde entonces, y pese a los problemas con la censura, los escenarios más importantes se abren al dramaturgo. Obtiene, entre otros, el Premio Nacional de Teatro en dos convocatorias sucesivas: en 1956, por *Hoy es fiesta* y en 1957 por *Las cartas boca abajo*. En 1980 se le otorga un tercer Premio Nacional de Teatro por el conjunto de su producción. En 1971 fue elegido miembro de la Real Academia, en 1986 se le concedió el Premio Cervantes y en 1996 el Premio Nacional de las Letras Españolas, ambos otorgados por primera vez a un autor teatral. De entre sus obras destacan *En la ardiente oscuridad, El concierto de San Ovidio, El tragaluz* o *La fundación*. Murió en Madrid en el año 2000.

ÍNDICE

LA FUNDACIÓN

INTRODUCCIÓN

Visto desde una perspectiva actual, y en su conjunto, el teatro de Antonio Buero Vallejo se ofrece como una de las realidades más brillantes de la literatura española contemporánea, en cuyo ámbito algunos de sus textos se han convertido ya en auténticos clásicos [1]. A través de una nutrida obra dramática, Buero ha ido trazando un análisis intenso y extenso de la persona humana tanto en comportamientos individuales como colectivos. Hombre contemporáneo y sociedad —española y universal, según los casos, aunque siempre trascendentalizada— son retos que Buero ha sabido, a lo largo de una obra extremadamente lúcida y cuidada, someter a reflexión [2]. Los espectadores de su teatro han terminado por habituarse a la poderosa capacidad analítica de unos textos caracterizados por su agudeza, sensibilidad y lucidez.

---

[1] Francisco Javier Díez de Revenga, «*Lázaro en el laberinto:* renovación y continuidad de la cosmovisión trágica bueriana», *Anthropos,* 79 (1987), pág. XIV.

[2] Mariano de Paco, «*Historia de una escalera,* veinticinco años más tarde», en *Estudios Literarios dedicados al Profesor Mariano Baquero Goyanes,* Murcia, Universidad, 1974, pág. 398. También en Mariano de Paco (ed.), *Estudios sobre Buero Vallejo,* Murcia, Universidad, págs. 195-214.

A resultados tan positivos ha conducido una impecable concepción formal de un teatro que ha avanzado sobre el tiempo en técnicas y recursos formales y que ha mostrado la adecuación y efectividad de nuevos planteamientos y estructuras. Tales consideraciones son obligadas —y nada nuevas por cierto— a la hora de enfrentarnos con cualquier obra de Buero Vallejo y, en concreto, con LA FUNDACIÓN, que es uno de los frutos más perfectos del conjunto.

Dentro de éste, el lector de LA FUNDACIÓN ha de volver la vista unos años atrás hasta detenerse en 1974, en la España de enero de aquel año. Esta operación no es absolutamente necesaria e imprescindible, pero sí conveniente para entender la obra que, sin embargo, cuenta con cualidades supratemporales que la hacen vigente siempre, como intentaremos mostrar al lector. Simplemente, ha de hacerlo para situarse en el momento adecuado de esta sobresaliente trayectoria dramática, y para observar cómo LA FUNDACIÓN aparece cuando el teatro de Buero Vallejo cuenta ya con algunos de sus dramas más apreciados, los que hoy lo convierten en un clásico contemporáneo de nuestra escena: *Historia de una escalera, El concierto de San Ovidio, El Tragaluz, El sueño de la razón...* Ha producido y estrenado con éxito obras problemáticas y complejas como *En la ardiente oscuridad, Irene o el tesoro* o *Un soñador para un pueblo* y ha intentado —y logrado ya— planteamientos técnicos y estructurales muy innovadores en la escena española, que he estudiado en otro trabajo[3]. Alguna obra, en el momento en que se estrena LA FUNDACIÓN, está escrita y espera el todavía imposible estreno en España, como ocurre

---

[3] Francisco Javier Díez de Revenga, «La "técnica funcional" y el teatro de Buero Vallejo», *Anales de la Universidad de Murcia,* 36. (1977-1978). También en Mariano de Paco (ed.), *Estudios,* cit., págs. 147-158.

con *La doble historia del Doctor Valmy*. Podríamos asegurar que, a comienzos de 1974, Buero ha dado a conocer sus mejores obras y, como acertadamente ha advertido Ricard Salvat, ha hecho recordar y obligado a pensar a unas generaciones y otras «sobre tantas cosas», mientras que «aunque nos pareciera mentira, se nos hablaba de heridas y de llagas mal cicatrizadas o que aún se mantenían, en parte, en carne viva» [4].

LA *FUNDACIÓN*, ANTE EL ESPECTADOR

Señala Luciano García Lorenzo que «una de las obras de Buero que mayor éxito de público y crítica ha tenido es LA FUNDACIÓN [5], y es muy cierto que a ello ha contribuido inevitablemente tanto el dramatismo de la trama argumental como los procedimientos técnicos en la obra utilizados. LA FUNDACIÓN se presenta como «fábula en dos partes» y realmente, como si de una fábula verdadera se tratase, plantea al espectador el eterno problema de la realidad y la ficción, la realidad —de unos y de otros— y la ficción producida por el rechazo del mundo exterior, por la imaginación, por el trastorno mental o por la alucinación. El enfrentamiento entre realidad y ficción y la reducción paulatina de esta última en beneficio de la verdad, que va resplandeciendo cada vez con más elementos o «pruebas», es la clave formal bajo la que se desarrolla este drama. La obra viene así a inte-

---

[4]   Ricard Salvat i Ferré, «El más fascinador de los juegos (El teatro de Buero Vallejo y su incidencia social)», en *Antonio Buero Vallejo,* Ámbitos Literarios/Premios Cervantes, Barcelona, Anthropos, pág. 96.

[5]   Luciano García Lorenzo, «Reportaje biográfico», en *Antonio Buero Vallejo,* cit., pág. 30.

grarse plenamente en su teatro, dado, como es sabido, a todo tipo de recursos que implican al espectador en la comprensión de la verdad, viviéndola al ritmo que marca determinado personaje. En el caso de LA FUNDACIÓN se trata de un ritmo dramáticamente paulatino.

Si en el lenguaje escénico se han situado elementos del escenario que adquieren un papel intensamente revelador, en la propia expresión de los personajes, y en concreto —y más aún— en la expresión del muchacho alucinado, se va produciendo un acceso a la realidad cada vez más torturador y dramático. Como ha señalado Luis Iglesias Feijoo, «de la confortable institución en que el público se ha instalado al principio, de la mano de Tomás, se camina paso a paso, pero inexorablemente, hasta el desvelamiento total de la celda, de la que, no obstante, nunca se ha salido. Es forzoso que ahí nazca un acentuado sentido de crisis del concepto de lo real, que Buero ha ido persiguiendo a lo largo de todo su teatro y que encuentra ahora sus realizaciones estéticamente más expresivas»[6].

No se trata de una clave momentánea u oportunista, sino que lo que aquí se persigue es que el espectador viva con el personaje el regreso desde el mundo idílico de una «Fundación» prestigiosa y confortable al cruel mundo de la prisión, la tortura, la delación, la violencia y la muerte. Y hay que señalar que Buero, con experiencia más que suficiente y probada en este tipo de recursos formales y manipulaciones escénicas, logra plenamente implicar al espectador e integrarlo en la perspectiva más desoladora de todas las que pueden ofrecer los personajes en esta obra. Se trata de lo que Doménech[7]

---

[6]   Luis Iglesias Feijoo, *La trayectoria dramática de Antonio Buero Vallejo,* Santiago de Compostela, Universidad, 1982, pág. 442.
[7]   Ricardo Doménech, *El teatro de Buero Vallejo,* Madrid, Gredos, 1973.

había denominado en su libro sobre Buero —aparecido en coincidencia con el estreno de LA FUNDACIÓN— «efectos de inmersión», en notoria contraposición a los ya muy conocidos y experimentados «efectos de distanciación» de Bertolt Brecht, y que los críticos han puesto en relación con otras obras de Buero Vallejo, especialmente con *Llegada de los dioses* y *El sueño de la razón*[8].

El trabajo racional y privilegiado a través de una fundación-residencia de discreta confortabilidad, descrita en las acotaciones con adjetivación multiplicada; el amor ideal, representado en una criatura imaginaria, la única protagonista femenina de la obra, sobre la que más adelante algo anotaremos; el modelo de convivencia ordenada y socialmente convencional; lo confortable, en fin, del espacio escénico, representan un mundo imposible que será sustituido por otro, procedente de la experiencia vital del dramaturgo. Aunque sutilmente impersonalizado y actualizado a un tiempo, asépticamente situado «en un país desconocido», está, sin embargo, tensamente implicado en una realidad que se hacía demasiado presente a la altura de un enero de 1974, cuando la obra se estrena en el Madrid del último franquismo, muy pocos días después del asesinato del almirante Carrero Blanco.

Pero todo esto —la prisión, las condenas a la pena capital, la sombra de la delación pasada y la amenaza de la presente, la violencia, la crueldad y la muerte— el espectador no lo conoce sino muy avanzada la obra, conforme el joven Tomás va volviendo a la razón y admitiendo la realidad tal como es, con todo su dramatismo y con toda su impresionante dureza. Luis Iglesias ha llamado la atención sobre el

---

[8]   Mariano de Paco, «*La Fundación* en el teatro de Antonio Buero Vallejo», *La Estafeta Literaria,* 560 (1975), pág. 6.

hecho de que Tomás jamás sale del escenario y, por ello, el espectador forzosamente ha de estar motivado en todo momento por su presencia. «El público comparte a lo largo de toda la obra su modo de ser (...). El público ve, pues, lo mismo que ve el personaje, quien impone su "punto de vista" subjetivo, de primera persona, a todo el universo escénico...»[9]. Tal circunstancia es fundamental a la hora de situar al lector de la obra en la posición del público que ve por primera vez la representación y que asiste a un casi incomprensible y arriesgado juego de mutaciones. Aunque, como se apresuró a señalar toda la crítica temprana con extremada urgencia, tales efectos ya estaban en el teatro de Buero, hay que hacer hincapié en que no se había hecho hasta entonces con la intensidad que ahora se plantea. Incluso, la propia contextura del montaje hace que el espectador ingrese en el argumento *in medias res,* es decir, cuando ya ha sucedido gran parte de los acontecimientos, cuando la historia de nuestros personajes se halla al término del camino y muy próxima a una resolución final, que ya ha llegado para uno de los presos, muerto unos días antes y cuyo cuerpo permanece en la celda, como se sabrá en el preciso momento en que este sector de la «situación» sea desvelado al público y lo conozca Tomás.

El engaño sufrido por el espectador es de una gran dimensión, próximo a la paradoja y podríamos decir que casi total, aunque luego sea compensado con la asistencia a la recuperación de la luz y la cordura de Tomás con butaca de primera fila. Y será entonces, poco a poco, al tiempo que los diferentes elementos del escenario van «recuperando» su condición carcelaria, cuando el espectador conozca la

---

[9]   Luis Iglesias Feijoo, *op. cit.,* pág. 440.

historia de la delación de Tomás y de la condena a muerte de todos los personajes. La historia será suministrada al espectador con la misma lentitud con que el protagonista la va conociendo, y se complicará rápidamente al final, al ser conocidos los proyectos de fuga de Asel y la nueva existencia de un delator que, finalmente, en un súbito incremento de la acción sobre la situación que ha sido la tónica general de toda la pieza, se resolverá dramática y fatalmente. Asistimos, pues, a una clara superación de la linealidad cronológica sustituida por una estructura en la que el pasado va siendo referido al lector en el momento más oportuno. Incluso, hay ocasiones en que el espectador, necesariamente más objetivo que el protagonista de la obra, puede ir sospechando, ante ciertos comportamientos de algún personaje: como Tulio, quien está viendo algo que no se corresponde con la realidad exacta en la que están inmersos todos los presidiarios excepto Tomás. Nos situamos, de este modo, en la línea de las corrientes más avanzadas de la literatura contemporánea, ante una clara superación de la objetividad narrativa. Queda ésta suplantada por una serie de manipulaciones tempo-espaciales que determinan el acceso del lector-espectador a la trama siguiendo la voluntad del autor, quien, indudablemente, ha preferido un conocimiento de la realidad diferente al lineal para sus lectores.

El espectador se sentirá conmovido ante la obra por los pormenores de la acción. Y éste es un aspecto que ni la crítica temprana ni la posterior universitaria más sólida y exigente ha destacado con el detenimiento que merece la cuestión. Quizá porque en el momento del estreno de LA FUNDACIÓN la sociedad española fuese más dura o estuviera más acostumbrada a estas situaciones, las cuales desgraciadamente podrían llegar a considerarse si no cotidianas sí por lo menos habituales. En 1974 era legal en España

la pena de muerte y todavía en 1975 pudo ser aplicada implacablemente. Hoy, para un espectador español contemporáneo, o para el posible lector de LA FUNDACIÓN, la situación planteada por Buero se multiplica en dramatismo y
tragicidad. Acaso porque en nuestros días, de forma distinta
a lo que ocurría en la España del último franquismo, sea-
mos mucho más sensibles ante situaciones de pena de
muerte, cuando estamos tan habituados a su rechazo por
nuestra sociedad, más liberal, más humanitaria y más avanzada. El espectador de LA FUNDACIÓN, antes de sentirse ale-
jado de la situación planteada por la obra como algo imposible hoy, se siente conmovido e inmerso en un problema vital
que interpreta como amenaza, sobre todo si es capaz de entender la formulación simbólica de la pieza y el sentido último de esa «fundación» en la que todos estamos, tal como
más adelante señalaremos. Y se ve arrastrado por el fatalismo
de unas actitudes que la ilusión de quien despierta a la realidad —Tomás en el fondo es un gran iluso que, como recién
llegado, no pierde la esperanza— o la de quien sabe que
sueña despierto —la crítica ha destacado palabras de Tulio
como soñador imposible—, no van a amortiguar un ápice.
Todo entonces va a resultar más comprometedor y angus-
tioso, hasta el punto de que el espectador, engañado al principio, convertido en «Tomás» a la hora de conocer la situación,
se ve arrastrado por la tragedia de unos personajes y su imposible solución. Ésta es, a nuestro juicio, la gran lección de
la obra y la indiscutible garantía de su vigencia y vitalidad.

EL LENGUAJE DRAMÁTICO

El lector de LA FUNDACIÓN, y en su momento el espectador, puede advertir con facilidad la cuidada construcción de

la tragedia. Las largas acotaciones que tanto tenemos que agradecer los lectores de Buero Vallejo, marcan con extremo cuidado no sólo multitud de pormenores imprescindibles para el buen fin del montaje de la obra, sino todos aquellos elementos que con su mutación han de arrastrar al espectador hacia el final de la misma. Con ser esto habitual en Buero Vallejo, prodúcese en LA FUNDACIÓN de una manera especial la importancia de los recursos formales y de la disposición escénica, y una buena parte de la crítica se ha ocupado ya con mucho detenimiento de este aspecto. Magda Ruggeri Marchetti escribió, en 1979, un extenso artículo en el que insistió en la importancia de las acotaciones [10], y el propio dramaturgo ha insistido más de una vez en la importancia que esto tiene en su teatro en general y, en alguna ocasión en concreto, en LA FUNDACIÓN [11]. El lector dispone del texto completo de la obra y no precisa de más guía ni comentario para su intelección que los establecidos por el propio Buero. Quien vio la representación en su estreno y su largo éxito en 1974, podrá recordar las variaciones que José Osuna introdujo [12], pero es el texto que hoy tenemos el que conserva la versión primera y definitiva de la obra.

Habida cuenta de la claridad de tales elementos, vamos a referirnos solamente a algunas muestras de la pertinencia

---

[10] Magda Ruggeri Marchetti, «*La Fundación,* sintesi temática del teatro di Buero Vallejo», *Rivista di Letterature Moderne e Comparate,* XXXII (1979).

[11] José Monleón, «Buero: de la repugnante y necesaria violencia a la repugnante e inútil crueldad», *Primer Acto,* 167. (1974), págs. 4 y siguientes. Véase también César Oliva, «Introducción a la puesta en escena», en Mariano de Paco (ed.), *Buero Vallejo (Cuarenta años de Teatro),* Murcia, Cajamurcia 1988, págs. 47-53.

[12] José Osuna, «Mi colaboración con Buero», en Mariano de Paco (ed.), *Buero Vallejo (Cuarenta años de Teatro),* págs. 55-60.

de algunos aspectos formales y su funcionamiento en el de-
curso de la obra. Destacamos en concreto el papel especial
de ciertos elementos artísticos, como lo es la música de
Guillermo Tell, de Rossini, que suena al principio y al final
de la pieza, creando, junto a ciertos elementos escénicos,
una dimensión de estructura circular que ha llamado pode-
rosamente la atención de un amplio sector de la crítica. Es
un solo fragmento, la pastoral de la obertura del *Guillermo
Tell,* que se repetirá hasta que la acción lo corte, y que será
reiterado al final, cuando la «Fundación» vuelva a impo-
nerse en la escena. Mariano de Paco destacó en seguida la
«adecuación entre forma y contenido» en esta obra, «porque la identificación del espectador con Tomás y su "locura" es tan sólo un paso hacia la reflexión crítica, que se
impone objetivamente al espectador al propio tiempo que
al personaje» [13]. La inicial música grata de Rossini crea el
escenario adecuado para el comienzo de una alucinación y
deja al final el camino abierto para nuevas situaciones, aspecto sobre el que hemos de volver.

Tomemos otro ejemplo que sea ilustrativo para el lector
de cómo Buero maneja con finalidades concretas ciertas re-
currencias artísticas, habituales por otro lado en su obra.
No pasa por alto al espectador el especial significado que
tiene en el mundo «alucinado» de Tomás la presencia de la
pintura. Al comienzo del cuadro segundo de la primera
parte, Tomás, en su trastorno, hojea y admira un libro, «un
gran libro de reproducciones en color», que le atrae especialmente («No se cansa uno de mirar») y que le hace detenerse en un cuadro conocido. El propio Tomás va descubriendo los detalles de la pintura, evidentemente imaginada,

---

[13]   Mariano de Paco, *«La Fundación...»,* cit., pág. 6.

y comienza el interesante «interludio» pictórico de LA FUN-
DACIÓN. El cuadro observado es de Vermeer, aunque en su
alucinación —en realidad, alucinación dentro de la alucinación—, Tomás cree leer que es de Terborch (así escrito por
Buero), quien no es otro que Gerard Ter Borch (1617-1681),
perteneciente a la magna generación de pintores de los Países Bajos y autor de cuadros tan célebres como *El concierto*. Pero «en realidad», la pintura que Tomás está «viendo»
es un conocido Vermeer y, por la descripción que de él hace
el muchacho trastornado, Tulio lo identifica sin dificultad,
como haría cualquier persona culta. Los detalles referidos
son inconfundibles. La lámpara dorada, el mapa del fondo
con sus arrugas viejas, «como un hule que se hubiera resquebrajado», el pintor de espaldas, la muchacha coronada
de laurel. Es *El taller* o *El pintor en el taller,* de Joannes
Vermeer de Delft, de hacia 1665, que se puede ver en el
Kunsthistorisches Museum de Viena. Como asegura Magda
Ruggeri, «este diálogo ha servido para crear un cierto desa-
sosiego en el público, al hacerle comprender que allí hay
alguna incongruencia, que Tomás está desconcertado, no
sabe bien qué lee o si lee» [14].

Se va a advertir en seguida que Buero no hace referencia
a esta y a otras pinturas por un gesto culturalista caprichoso.
Indudablemente, hay precisiones que nos hacen pensar en
otra intención más profunda y, desde luego, más efectiva
desde el punto de vista teatral. En el cuadro de Vermeer,
Tomás ve una lámpara que le recuerda otro cuadro («otra
tabla famosa y muy anterior»), éste de Van Eyck, que en seguida es identificado por Tulio como *El retrato de Arnolfini
y su esposa* y situado por él mismo en la Galería Nacional

---

[14] Magda Ruggeri Marchetti, art. cit., pág. 7.

de Londres. La pintura es, en efecto, muy anterior, pero no está, como Tomás asegura, «a tres siglos de distancia». Tan sólo a poco más de dos. Pero lo cierto es que Tomás, en su alucinación bibliográfico-pictórica, ha puesto en relación dos lámparas en el techo de dos estancias en dos cuadros, casi idénticas, por más que Tulio, de memoria siempre, marque con exactitud las diferencias que cualquier lector o espectador puede comprobar. «En la de Vermeer, brazos delgados, cuerpo esférico; en la del flamenco, brazos anchos y calados... Y una gran águila de metal corona la de Vermeer». La presencia de los cuadros en la alucinación de uno y en el recuerdo del otro les llevará por otros pintores (Botticelli, El Greco, Rembrandt, Velázquez, Goya, Chardin...) a Turner. «Es como un diamante de luz». Y con Turner —y esto sí que interesa como recurso formal olvidado de la crítica— a la definitiva simbiosis de arte-imitación de la naturaleza y naturaleza-paisaje-alucinación, ante el imaginario ventanal que el espectador contempla desde el comienzo de la representación y que a cualquier espectador o lector habituado al estilo de Buero Vallejo le hace relacionar con alguna pintura conocida. La solución vendrá después, cuando en el cuadro segundo que comentamos se nos cite, con especial dilección, a Turner. Recuérdese el paisaje descrito en la acotación inicial: «Tras el ventanal, lejana, la dilatada vista de un maravilloso paisaje: límpido cielo, majestuosas montañas, la fulgurante plata de un lago, remotos edificios que semejan catedrales, el dulce verdor de praderas y bosquecillos, las bellas notas claras de amenas edificaciones algo más cercanas...». Estamos ante un tipo de paisaje evidentemente idealizado, que quiere responder a una imaginación del personaje principal, pero también es cierto que en sus rasgos más notables podría recordarnos a un Turner, con su lago de plata, con sus edificaciones en le-

janía, parecidas a palacios. Y Tomás, luego, en el cuadro II
a que nos estamos refiriendo, llegará a decirlo con toda claridad cuando glosa el cuadro de Turner que en este momento está contemplando en el libro de grabados: «Casi tan
espléndido como ese paisaje. Otro arco iris de nubes, de
frescas aguas, de radiantes palacios...».

El intermedio pictórico todavía contará con una estancia
más, con un nuevo episodio basado en una pintura menos
conocida y que, acaso, sea la parte que justifique de forma
más notoria el todo, es decir, la presencia de este intermedio pictórico. Esta vez la visión de las pinturas se integra
plenamente en la trama y en la simbología de la obra. De
Turner a Monet y a Van Gogh para llegar a un desconocido
de todos, a un pintor llamado Tom Murray, al que se identifica como un animalista del siglo XIX, ante cuya pintura de
«unos ratones en una jaula» se detiene Tomás con una especial delectación asombrada, mientras una silenciosa aparición de Berta coincide con la visión y comentario del cuadro. En este caso, la presencia de la pintura se integra
plenamente en lo que ya llevamos visto en el plano de la
alucinación, en tanto que el símbolo de los ratones en la jaula
enlaza con el del portado por Berta al comienzo de la representación. Joaquín Verdú de Gregorio se ocupó del símbolo del ratón en su libro y apreció acertadamente su significado [15]. Pero ahora, por medio de la pintura, algo, sin
embargo, tan relajante y placentero en la visión de Tomás,
se ha llegado al momento absoluto de la inseguridad en el
muchacho trastornado que, simbólicamente, comienza, al
no hallar su cajetilla de tabaco, a darse cuenta de que algo
raro está ocurriendo en su «Fundación», a advertir ya muy

---

[15]   Joaquín Verdú de Gregorio, *La luz y la oscuridad en el teatro de
Buero Vallejo,* Barcelona, Ariel, 1977, págs. 221-222.

seriamente las mutaciones que se operan ante su vista, a averiguar que está desapareciendo el mundo idílico que su trastorno había fabricado.

Puede el lector advertir, como lo hizo el espectador en su momento, que en esta obra —como en la dramaturgia completa de Antonio Buero Vallejo— son fundamentales todos los gestos y actitudes, por accesorios que nos puedan parecer en nuestra alucinación compartida con Tomás y fabricada para nosotros por el dramaturgo, como si de un nuevo retablo de Maese Pedro se tratase, tal como ha señalado Luis Iglesias Feijoo [16]. La pertinencia de las formas dramáticas, imprescindible y necesaria en cualquier obra que tenga un mínimo de interés y calidad, en la de Buero, dado que el dramaturgo prescinde de una manera manifiesta del plano de la objetividad expresiva, se hace absolutamente irrenunciable. Podemos advertir esta pertinencia de manera especial, por ejemplo, en la presencia muda de Berta, al final del interludio pictórico que se nos ofrece como un síntoma claro del valor de los gestos y las formas habituales en el drama. El lector deberá asimilar y comprender por sí mismo y asegurar, a la vez, una valoración que le conduzca a una plena comprensión del drama y de su intención.

Alguna referencia hay que hacer al ya citado efecto de inmersión practicado por Buero en este drama, que, como señala Victor Dixon, «representa un ulterior avance en el aprovechamiento» de tal procedimiento técnico [17]. Desde luego, respecto a anteriores empleos en algunos de sus me-

---

[16]   Luis Iglesias Feijoo, *op. cit.,* pág. 441.
[17]   Victor Dixon, «The "immersion-effect" in the plays of Antonio Buero Vallejo», en James Redmond (ed.), *Themes in Drama, II: Drama and Mimesis,* Cambridge, Cambridge University Press, 1980. Y en Mariano de Paco (ed.), *Estudios,* cit., pág. 180.

jores dramas, la utilización ahora supone resultados muy teatrales y efectivos. Como ha advertido Joaquín Verdú de Gregorio, «Buero hace participar a todos los espectadores en esta enajenación universalizándola, lo que le otorga un nuevo significado: la enajenación o alienación del ser humano en la sociedad actual como un estadio más avanzado de la mudez, ceguera o sordera. Se diría que, anteriormente, estos últimos han sido aspectos parciales del problema total de la enajenación»[18]. Iglesias ha hablado de engaño a los ojos, de juego del ser y del parecer, y es muy cierto que hay momentos en que con la aparición y desaparición de objetos, movimientos y transformaciones de otros se va desarrollando la ley barroca de la visualidad y del perspectivismo, de las apariencias engañosas[19]. Con ser teatralmente muy efectivos estos recursos, no deben hacer perder de vista al lector y al espectador su profundidad y, sobre todo, su significación. Se ha comparado este tipo de alucinación con la relatada por H. G. Wells en su novela *Mr. Blettsworthy en la isla de Rampole*[20], pero también se ha puesto —por el propio autor— en relación con el *Quijote,* destacando una vez más la filiación cervantina de Antonio Buero Vallejo, de la que el dramaturgo ha dado tantas pruebas y de la que se siente especialmente orgulloso[21]. Los efectos de inmersión apuntan hacia una definición del mundo como algo engañoso y a una concepción perspectivística de la vida —Mariano de Paco ha estudiado también el perspecti-

---

[18] Joaquín Verdú de Gregorio, *op. cit.,* pág. 203.
[19] Luis Iglesias Feijoo, *op. cit.,* pág. 441.
[20] Luis Iglesias Feijoo, *op. cit.,* págs. 460-461. Véase Antonio Buero Vallejo, «Discurso de... en la entrega del Premio Cervantes 1986», en *Antonio Buero Vallejo,* cit., pág. 40.
[21] Antonio Buero Vallejo, *Discurso,* cit., págs. 41-44.

vismo en el teatro de nuestro dramaturgo [22]— como la que Cervantes defendía y practicaba. Por medio de esta técnica dramática, Buero denuncia lo pobre y equívoco de nuestra sociedad y, en cierto modo, está practicando la comprensión hacia el delator, al que el público, cómplice del personaje alucinado por compartir sus mismas experiencias mentales, llegará a entender y perdonar como quiere el noble Asel. Insistimos, habida cuenta de lo antes señalado, en la pertinencia de todos los elementos técnicos introducidos por su autor en este drama innovador, y en su evidente efectividad estilística.

Merece un cierto detenimiento, en el terreno de los efectos de inmersión, el significado que puede tener para el lector y para el espectador la presencia de un personaje atípico en el drama: Berta. Fruto exclusivo de la alucinación de Tomás, especie de Dulcinea del Toboso contemporánea, existe sólo en la imaginación del muchacho trastornado. ¿Por qué Berta? ¿Para qué sus tres apariciones en escena? Es una pena que Magda Ruggeri no haya ofrecido una respuesta a estas preguntas en su artículo «La mujer en el teatro de Antonio Buero Vallejo» [23]. Mariano de Paco señaló bien pronto que Berta es un desdoblamiento de la personalidad de Tomás [24] y, en efecto, a cualquier espectador llama en seguida la atención —como les ha ocurrido a muchos críticos— la frase «Aborrezco la fundación» con la que la novia de Tomás juzga el invento en dos ocasiones, cuando la representación no ha hecho más que comenzar y aún nos encontra-

---

[22]   Mariano de Paco, «El perspectivismo histórico en el teatro de Buero Vallejo», en Mariano de Paco (ed.), *Buero Vallejo (Cuarenta años de Teatro),* cit., págs. 101-108.
[23]   Magda Ruggeri Marchetti, «La mujer en el teatro de Antonio Buero Vallejo», *Anthropos,* 79 (1987), págs. 37-42.
[24]   Mariano de Paco, *«La Fundación...»,* cit., pág. 7.

mos en el mundo idílico de la institución, sin que el espectador sospeche lo más mínimo la mental suplantación de Tomás, en ese *locus amoenus* que se divisa por la ventana (es curioso observar que Buero utiliza el término clásico *amenas* a la hora de referirse a las edificaciones que se divisan desde la imaginaria ventana del cuarto de la residencia). Berta, en sus palabras, producidas por la mente de Tomás, supone la primera y más importante ruptura del sistema establecido en su alucinación, al tiempo que es un reflejo del subconsciente que experimenta así los primeros atisbos de claridad. Naturalmente, en lo que tiene de recurso formal, produce en el espectador los efectos apetecidos, y, como señala De Paco, «en la objetivación de su pensamiento hay, pues, incluso inicialmente, una oposición o tensión dialéctica entre el haz y el envés de la "Fundación" y, en definitiva, de nuestro mundo por ella simbolizado; si su posición no es unívoca, no puede ser tampoco total la adhesión del espectador»[25]. Obsérvese, en definitiva, cómo un elemento de la alucinación tan lleno de sensibilidad y de poesía, como lo es la figura de Berta, desempeña un decisivo papel a la hora de ir entendiendo lo que ocurre, lo que va a suceder cuando Tomás despierte a la trágica realidad al mismo tiempo que todos los espectadores y lectores.

LA FUNDACIÓN, DENTRO DE LA COSMOVISIÓN TRÁGICA DE BUERO VALLEJO

Los problemas suscitados a lo largo de LA FUNDACIÓN han planteado a la crítica especializada, desde el mismo es-

---

[25] Mariano de Paco, *ibídem*.

treno de la obra, cuestiones que se han intentado sistemati-
zar, tanto en relación con el resto del teatro de Buero Vallejo —y de acuerdo con el proyecto global de análisis individual y social de la persona humana que el mismo se
plantea— como respecto a la obra en sí en cuanto producto
especialmente logrado de su autor. En todo caso, se ha destacado su notable dimensión trágica producida por la agudeza de los problemas en ella planteados y por la fatalidad
de la conclusión o final, que, aun así, se ofrece abierta hacia planteamientos reiniciadores de una posición crítica, en
lo que podría considerarse una estructura circular que también ha sido valorada. En su condición de tragedia de nuestro tiempo, LA FUNDACIÓN adquiere un interés especial basado en su propia formulación como análisis de una
sociedad y de un mundo con los que el autor no está conforme, sometido a fuerzas externas alienadoras que condu-
cirán a sus individuos a la tragedia de la irresolución de su
existencia. Dicha tragedia viene dada también por la configuración como símbolo de unos comportamientos que se
anuncian en el título del drama y que se materializan en la
imaginaria institución.

En el plano estrictamente individual, Mariano de Paco [26]
ya destacó las actitudes diversas de los cinco personajes. A
pesar de ser el de Tomás el más logrado —sobre él recaen
todo el peso de la acción y el problema de desdoblamiento
de la personalidad—, los demás constituyen entre todos un
entramado de fuerzas y comportamientos que definen con-
ductas diversas pero complementarias entre sí: desde la ba-
jeza de Max, del que averiguamos que se entrega a fáciles
compensaciones a cambio de una traición, hasta la toleran-

---

[26] Mariano de Paco, *ibídem.*

cia y comprensión de Asel, para el que la causa constituye un revestimiento de una especial dignidad. La intransigencia de Tulio, que es, sin embargo, compensada por la personalidad de un soñador, y la evolución de Lino desde una inhibición apática hasta una acción desesperada, peligrosa y, finalmente, efectiva, todos forman un conjunto de individualidades, en las que Buero ha querido representar reacciones diversas ante una situación límite. Su tragicidad reside justamente en su comportamiento pero también en lo inútil de su posibilidad de acción ante la fuerza superior, esa «Fundación» que todo lo domina y determina. Ni siquiera el soplón, descubierto rápidamente, ejecutado por su compañero de celda, obtendrá resultado positivo alguno de su felonía. Una única esperanza se abrirá respecto a los personajes en su destino, de acuerdo con el prototipo de tragedia establecido por Buero de desenlace en alguna medida esperanzador. El espectador desconoce si Tomás y Lino serán ejecutados o lograrán la fuga que les llevará a una posible, aunque también puesta en entredicho, libertad.

En este punto hay que hacer referencia a las posibles implicaciones autobiográficas de LA FUNDACIÓN, aspecto del que se hizo eco en seguida la crítica temprana de la obra. Tampoco es muy difícil aventurar posibles relaciones con la vida de Buero, sabiendo que él mismo estuvo condenado a muerte tras la guerra civil. En una primera reacción, el dramaturgo, aunque no negó en ningún momento el evidente parentesco de la situación con aquel episodio de su propia vida, prefirió destacar, con todo acierto, la dimensión más trascendente del problema. Así lo manifestó en una entrevista a José Monleón: «Por supuesto, en la obra hay abundante material autobiográfico. Yo no lo hubiera escrito sin una experiencia personal y muy directa (...). Mi experiencia se reparte un poco entre todos los personajes, pero ninguno soy yo». Se refiere a una realidad vivida, pero claramente «reelaborada», basándose precisamente en la multiplicación de los personajes, en los cinco enfoques representados por cada uno de los presos. Y todo, efectivamente, con una clara intención: «Uso, premeditada y voluntariamente, de toda una serie de variaciones de la experiencia real para obtener algo más creativo y una especie de simbolización general de la que podríamos llamar la situación del condenado. Se persigue una elaboración artística que, cuando falta, reduce las obras a mero documento y suele restarles alcance y calidad»[27].

En realidad, LA FUNDACIÓN, desde una relativa distancia, posee una dimensión trascendente que supera lo puramente autobiográfico, y esto parece, hoy, indudable. O como ya señaló De Paco, «deja en segundo lugar las circunstancias vivenciales propias, de forma que los sucesos narrados alcancen un valor general»[28].

Llegamos así a la consideración de cuál sería esa trascendencia que hace que la obra nos interese hoy. Y advertimos que esa trascendencia se halla en el magno símbolo que representa la «Fundación» como reflejo de nuestro mundo y de nuestra sociedad, como conjunto de sistemas que producen la anulación de la personalidad individual, la ceguera mental y la alienación. Lo más grave, y lo más trágico, es que tras esta Fundación siempre habrá otra. Asel lo dice, en frase muy conocida, con toda claridad, y añade dirigiéndose a Tomás e intentando convencerlo de la inutilidad de su ficción: «Duda cuanto quieras pero no dejes de actuar. No podemos despreciar las pequeñas libertades engañosas que anhelamos aunque nos conduzcan a otra pri-

---

[27]   José Monleón, *op. cit.*, pág. 6.
[28]   Mariano de Paco, *«La Fundación...»*, pág. 7.

sión... Volveremos siempre a tu Fundación, o a la que fuere si las menospreciamos. Y continuarán los dolores, las matanzas...». Sin embargo, en su idealismo y en su dignidad, cree que hay que seguir luchando, siempre en busca de lo que ha sido la meta de todo el teatro bueriano: el logro de la autenticidad, la búsqueda de la verdad: «¡Entonces hay que salir a la otra cárcel! (...) ¡Y cuando estés en ella, salir a otra, y de ésta a otra! La verdad te espera en todas, no en la inacción».

La relación, en este terreno, de LA FUNDACIÓN con la primera obra de Buero, *En la ardiente oscuridad,* ha sido puesta de manifiesto por Carmen Díaz Castañón en lo que se refiere a sus objetivos dramáticos, en lo que respecta a la lucha que en la primera obra llevaba a cabo Ignacio en contra de la ceguera y alucinación de nuestro mundo [29]. Con las dos obras, pero de forma más contundente con LA FUNDACIÓN, Buero ha establecido su particular lucha contra ese tipo de instituciones que enajenan al hombre y que son verdaderos símbolos de un comportamiento social, de una sociedad como la nuestra, creadora de engaños y de máscaras, la sociedad de consumo que ciega al hombre y tergiversa sus comportamientos. El mismo Buero adelantó algo sobre este particular en su entrevista con José Monleón, cuando señaló, con toda claridad, cuál era el tipo de sociedad representado en la idílica institución que constituye el trastorno mental de Tomás. Después, en otras declaraciones, ha insistido sobre ello como centro de toda su obra teatral en conjunto, desde su primer drama hasta LA FUNDACIÓN y desde éste hacia el futuro. A mediados de 1976, pasados dos años ya del estreno de la obra que nos

---

[29] Carmen Díaz Castañón, «De la Residencia a la Fundación», *Nueva Conciencia,* 9, 1974. Y en Mariano de Paco (ed.), *Estudios,* págs. 263-277.

ocupa, lo señaló así: «Yo empecé mi teatro con *En la ardiente oscuridad,* porque fue la primera obra que escribí, aunque no la primera que estrené, y lo he terminado con LA FUNDACIÓN. Ya en algún sitio he dejado apuntado cómo, en el fondo, en aquella primera obra y en esta última se habla de lo mismo. Se habla de dos Instituciones o Fundaciones cuya mentira hay que revelar y desenmascarar. Y el tema es el mismo, porque cada escritor, en cada momento, se encuentra con sus Instituciones o Fundaciones o con su Sociedad como Cervantes se encontró con la suya en su tiempo; y Cervantes, en su tiempo, escribió *El Quijote,* que acaso les parecía también insuficiente a los eternos insatisfechos de entonces, pero ese libro representa hoy para nosotros una implacable respuesta literaria y crítica a la sociedad en que vivía y le asfixiaba.

»Pues bien —añade Buero—, modestísimamente y al amparo de esas grandes figuras que me he atrevido a invocar como maestros míos, yo diría que desde *En la ardiente oscuridad* hasta LA FUNDACIÓN estoy intentando, tal vez quijotescamente, enfrentarme con mis Instituciones, con mis Fundaciones, que también son las de todos los presentes» [30].

En la lucha por el descubrimiento de la verdad, es sabido que Buero se ha dirigido tanto en un sentido individual hacia el comportamiento de unos y de otros en cuanto individuos, como en un sentido colectivo o social, en el que la autenticidad sea perseguida como fin ético de la sociedad. En esa constante indagación, puesta ya de manifiesto en su teatro anterior, LA FUNDACIÓN se integra, con su condición de «fábula», en el sentido de ofrecer una alegoría, y, con ella, un planteamiento simbólico de unas características

---

[30]   Antonio Buero Vallejo y otros. *Teatro español actual,* Madrid, Fundación Juan March-Cátedra, 1977, págs. 80-81.

particulares. La vitalidad de este símbolo reside en su condición de ejemplo y en su convivencia, dentro del conjunto de la obra del autor, con otros distintos planteamientos, otras diversas argumentaciones, otras diferentes «fábulas» anteriores, o posteriores, desde *En la ardiente oscuridad* hasta *Lázaro en el laberinto.*

No se trata de ofrecer una enseñanza o desplegar un planteamiento de carácter didáctico, como si de una lección social o política se tratase. Aquí, como en otros tantos dramas buerianos, lo que se hace es plantear ante el espectador una situación con sus problemas y con sus opiniones encontradas. Y el espectador debe acceder por la vía artística al conflicto e integrarse en él y vivir su solución. En este caso, como ya hemos visto, son experiencias autobiográficas las que valen para ofrecer a los espectadores, como ciudadanos inmersos en una sociedad determinada, cuestiones sobre las que reflexionar. Y el lector verá que son muchas, algunas puestas de relieve de forma especial por la crítica. Es lo que ocurre, por ejemplo, con uno de los asuntos más debatidos de la obra después del ya señalado de la realidad y de la ficción: el problema de la distinción entre violencia y crueldad, que se pone de manifiesto en un momento clave de la obra y determina actitudes y reacciones de los personajes que implican al espectador. Exactamente en el punto en que Tomás, reprochando la conducta de Lino, que ha dado muerte al traidor Max, asegura: «Si no acertamos a separar la violencia de la crueldad, seremos aplastados». Las palabras, y la actitud de Tomás, así como anteriormente la posición tolerante y comprensiva de Asel, hacen pensar en un contexto en el que la lucha política ha llevado a la cárcel a cinco hombres que, además, están condenados a muerte.

Buero aboga en este momento concreto por una limitación de la violencia y por un rechazo de la crueldad, pero nunca por un abandono de la lucha contra lo establecido, contra aquello que supone la alienación del hombre. Se fomenta constantemente la acción y se recuerda el deber de vencer. Los personajes estarán recluidos en una prisión, pero se convencen unos a otros de la necesidad de la acción. La cuestión reside, en última instancia, en si esa acción puede o debe ser violenta y hasta qué punto. El planteamiento es clave en la obra y son muy interesantes a este respecto, y muy aclaradoras, las explicaciones que el propio dramaturgo facilitó a Monleón a raíz del estreno del drama: «No planteo, como alguien puede pensar superficialmente, el [problema] de la "no violencia"; no abogo porque nunca se cometa ninguna clase de violencia. Eso no se dice en la obra. Porque una de las fatalidades de nuestro tiempo —y esto me parece que se dice allí con bastante claridad— es que, lo mismo si nos gusta como si nos repugna, como creo que deba sucederle a toda persona sensible, es difícil prescindir de la violencia. Entonces el debate no es tanto acerca de la violencia o la no violencia como un debate acerca de si la táctica imprescindible para una transformación, incluso revolucionaria, del mundo, es una táctica que puede abundar en la violencia gratuita, en cuyo caso es crueldad, o vigilar, con cuidadoso método, los límites de la violencia» [31].

Se trata, por tanto, de la defensa de la acción, de la integración en la lucha; o, como se dice en otra parte de la obra, según hemos ya recordado, si existe «el deber de vencer». De hecho, los personajes, ya maniatados y reos de muerte, desarrollan verbalmente su interés en seguir en esa lucha. Y ese sentimiento es general, por más que existan altibajos y

---

[31]   José Monleón, *op. cit.,* pág. 6.

vacilaciones, reflejados en actitudes que, en todo caso, se nos ofrecen como complementarias.

Con el problema de la violencia, la crítica ha formulado otros planteamientos de interés en relación con ella. Se ha entrado en la dialéctica «víctimas/verdugos» y en el problema de la tortura, que en otros dramas de Buero ha sido desarrollado de una forma más directa [32]. El asunto había sido ya tratado en *La doble historia del doctor Valmy* y en *Llegada de los dioses,* pero en LA FUNDACIÓN adquiere una dimensión muy diferente. Sabemos de la tortura en la obra cuando recibimos la información de que Tomás ha sido torturado y su delación ha llevado a todos los hombres a la cárcel. Pero sabemos también del rechazo del propio Tomás hacia su comportamiento, que le ha llevado a perder la cabeza. La posición del espectador, tan emparentada, como ya dijimos, con la de Tomás, ha de ser de clemencia hacia el delator. Y el propio Buero también adoptaba esa actitud cuando aseguraba: «¡Cualquiera sabe, si a uno le aprietan, lo que es capaz de hacer! (...) Yo no soy el señor que ha delatado. He tenido esa suerte, que no tuvieron otros que no eran peores que yo» [33]. Sin embargo, ante Max y ante su traición, la reacción del espectador es diferente y muy compleja, casi podríamos decir que contradictoria. Sabemos que Max traiciona a cambio de bajas compensaciones. Su delación llega a producir la reacción violenta y fuera de control de Lino, que el espectador, siempre más cercano a Tomás, podría entender pero no comparte. La diferencia de posición respecto a un delator y a otro, sin duda alguna, está en la aplicación o no de la tortura, que subyace en la obra como clave de anteriores comportamientos. Así lo ha

---

[32] Mariano de Paco, *«La Fundación...»,* pág. 7.
[33] José Monleón, *op. cit.,* pág. 6.

advertido Mariano de Paco, quien ha asegurado que la tortura «muestra con toda su crudeza la urgencia de la difícil separación de violencia y crueldad. Desde la perspectiva de Asel, a quien la confesión de Tomás va a llevar a la muerte, éste actuó como un ser humano, "fuerte unas veces, débil otras", con lo que se sitúa por encima de la fácil propensión a una condena extrema y sin reservas» [34].

Hay que referirse, finalmente, a la conclusión de la obra. Hemos aludido a su estructura circular, similar a la de *Historia de una escalera,* ya que en el último momento vuelve a surgir toda la decoración de la idílica «Fundación» y a escucharse, como al principio, la Pastoral de Rossini. Pero, a diferencia de *Historia de una escalera,* en la que se advierte que la «historia» vuelve a comenzar como una esperanza y un anhelo de personajes y espectadores, en una especie de «eterno retorno» azoriniano, tal como el autor de *Castilla* dejó magistralmente escrito en su relato «Las nubes», en LA FUNDACIÓN estamos asistiendo a la culminación de su dimensión trágica, porque, en realidad, y ante el espectador, se está mostrando que una vez acabada la historia y una vez terminada su pesadilla, y cuando los personajes salen de escena camino, quizá, de su muerte, vemos que surge de nuevo y en todo su vigor el símbolo de la «Fundación», con todo lo que ello implica de anulación y negación.

Hay quien ha visto en este final, como en otras tragedias buerianas, una apertura y una esperanza, pero en realidad, si hacemos caso estricto de las palabras del dramaturgo, ahí está la clave de la lección ética y social de la obra: «El pesimismo de salir para llegar a creer que la cárcel es una "Fundación"... y la esperanza —¡incluso el optimismo!— de sa-

---

[34]   Mariano de Paco, *«La Fundación...»,* pág. 7.

lir para comprender y advertir a los demás que la "Fundación" es otra cárcel. Cuando eso se advierte, cuando se logra comunicar, las rejas se corren, la humana liberación empieza a ser realmente posible. Tragedias que se muestran para liberar, no para aplastar... Sí. Eso ha pretendido ser mi teatro, escrito frente a "Fundaciones" que nos deforman, o nos miman, o nos anulan. Esta obra lo resume bastante, sí, al menos en sus manifestaciones principales. Pero escribiré otras...» [35].

ACTUALIDAD DE *LA FUNDACIÓN*

«Cuando has estado en la cárcel, acabas por comprender que, vayas donde vayas, estás en la cárcel. Tú has comprendido sin llegar a escaparte», advierte Asel a Tomás en uno de los momentos más interesantes de la obra, a lo que el muchacho, alucinado, pregunta lacónicamente: «¿Entonces?», para recibir la conocida respuesta de Asel: «Entonces hay que salir a la otra cárcel. ¡Y cuando estés en ella salir a otra, y de ésta a otra! La verdad te espera en todas, no en la inacción. Te esperaba aquí, pero sólo si te esforzabas en ver la mentira de la Fundación que imaginaste».

El lector actual puede volver a plantearse la trascendencia y actualidad del drama que ha leído y comprobar si cuanto sucede en escena le concierne como le concernía al espectador de 1974. Puede averiguar si las vivencias de los personajes siguen vigentes en nuestro tiempo y en nuestra sociedad, si se continúa produciendo la alienación como forma de aceptación de una sociedad consumista y materia-

---

[35] José Monleón, *op. cit.*, pág. 13.

lista. Y el lector ha de preguntarse también si los procedimientos de superación de esa alucinación que Buero Vallejo propuso en su drama son útiles o no a nuestra realidad
social y a nuestra convivencia actual. El dramaturgo, qué
duda cabe, puso los medios para que su lección ejemplar
fuese lo suficientemente abstracta y de este modo su vigencia estuviese asegurada. Pensemos en el problema aludido
por Asel de que tras la cárcel hay otra cárcel: no es sino el
resultado de una vivencia autobiográfica correspondiente a
los años cuarenta, tal como ha revelado recientemente el
propio Buero a Mariano de Paco, cuando ha recordado que
«aquel intento lejano de fuga en Conde de Toreno me ins-
piró, es cierto, algunos aspectos de LA FUNDACIÓN. No todos los condenados a muerte pensábamos fugarnos, pues
veíamos no menos oscuras las perspectivas en el exterior...» [36]. Si hay una realidad de fondo en los años cuarenta
y en los setenta se alude a que tras una cárcel hay otra y tras
ésa otra, nuestra reflexión se inclina hoy a confirmar la vigencia de los planteamientos buerianos y, aparte del im-
pacto que el lector ha de sufrir ante lo dramático del argumento que, como he apuntado, nos confunde y nos implica,
también importan los elementos que Buero nos ofrece en
esta pieza para exigirnos la comprensión de la realidad.

Nuestra solidaridad como lectores reside no en una lectura más o menos atenta de la obra, sino en ser capaces de
sentirnos golpeados por lo que Buero Vallejo ha intentado
con este drama dentro de su proyecto ya dilatado en el
tiempo de ofrecer un análisis de nuestra sociedad y de los
comportamientos individuales y colectivos. Los tres planos
que definen su análisis del hombre, que han sido señalados

---

[36]   Mariano de Paco, «Buero Vallejo y el teatro», en *Antonio Buero
Vallejo,* cit., pág. 54.

por Mariano de Paco en diferentes ocasiones[37], son justamente los que conceden a LA FUNDACIÓN —como, prácticamente, a todo el teatro bueriano— su actualidad y su vigencia. Tanto el plano ético («el de los hechos precisos que suceden en la representación y que, como tales, ya no admiten cambio, de los que participa el espectador como individuo que ha de tomar también decisiones individuales») como el plano social-político («el de los personajes y los espectadores en cuanto miembros de una colectividad») y el plano metafísico («que expresa las esenciales limitaciones del ser humano y hace visibles las ansias de superación frente a ellas y la relación del misterio que rodea el mundo»)[38], son los que determinan, limitan y, al mismo tiempo, hacen posible la búsqueda de la verdad, de la autenticidad y de la libertad que constituye el centro mismo de la cosmovisión trágica bueriana. En este terreno tan amplio, que contiene del mismo modo un planteamiento actual del destino del hombre y que pone de manifiesto sus limitaciones existenciales y sociales, LA FUNDACIÓN, con su fábula y sus símbolos, con sus técnicas implicadoras, con su estructura envolvente y circular, constituye uno de los momentos culminantes del teatro del dramaturgo, y en su vigencia, y, más aún, en la permanencia de su lección, reside su actualidad.

Al final, claro está, se halla la esperanza a la que Buero aludió y que es posible en toda tragedia. Como en *Historia de una escalera,* como en *Irene o el tesoro,* el espectador de

---

[37] Mariano de Paco, «Introducción» a Antonio Buero Vallejo, en *Lázaro en el laberinto,* Madrid, Espasa Calpe, colección Austral, 1987, págs. 14-15.

[38] Mariano de Paco, *ibídem.* Véase también Mariano de Paco, «Buero Vallejo y la tragedia», *Anthropos,* 79 (1987), págs. 56-58.

LA FUNDACIÓN, cuando sale del teatro, y el lector cuando cierra el libro, sabe que todo está dispuesto para que la tragedia vuelva a empezar, como aquellas nubes azorinianas alimentadas por la filosofía de Nietzsche, que retornaban una y otra vez, siempre las mismas, siempre distintas. En la mano del espectador y del lector está escoger la verdad y elegir si sigue en la «Fundación» o lucha contra ella. La lección permanente de la obra está en su mantenida condición implicadora, y el espectador y el lector han de decidir... *«Tras la barandilla y al fondo, el lejano panorama campestre.* EL ENCARGADO *viste sus correctas ropas de recepción y, con su más obsequiosa sonrisa, invita a entrar en el aposento a nuevos ocupantes que se acercan...».*

FRANCISCO JAVIER DÍEZ DE REVENGA
Torre de la Horadada, julio de 1989

BIBLIOGRAFÍA

ESTUDIOS SOBRE EL TEATRO DE BUERO VALLEJO

BEJEL, Emilio, *Buero Vallejo: lo moral, lo social y lo metafísico,* Montevideo, Instituto de Estudios Superiores, 1972.

CORTINA, José Ramón, *El arte dramático de Antonio Buero Vallejo,* Madrid, Gredos, 1969.

DEVOTO, Juan Bautista, *Antonio Buero Vallejo. Un dramaturgo del moderno teatro español,* Ciudad Eva Perón [Buenos Aires], Elite, 1954.

DOMÉNECH, Ricardo, *El teatro de Buero Vallejo,* Madrid, Gredos, 1973.

DOWN, Catherine Elizabeth, *Realismo trascendente en cuatro tragedias sociales de Antonio Buero Vallejo,* Chapel Hill, Estudios de Hispanófila, 1974.

GARCÍA LORENZO, Luciano; PACO, Mariano de, y SALVAT I FERRÉ, Ricard, *Antonio Buero Vallejo,* Barcelona, Ámbitos Literarios/Premios Cervantes, Anthropos-Ministerio de Cultura, 1987.

GONZÁLEZ-COBOS DÁVILA, Carmen, *Antonio Buero Vallejo: el hombre y su obra,* Salamanca, Universidad, 1979.

HALSEY, Martha T., *Antonio Buero Vallejo,* Nueva York, Twayne, 1973.

IGLESIAS FEIJOO, Luis, *La trayectoria dramática de Antonio Buero Vallejo,* Santiago de Compostela, Universidad, 1982.

MATHIAS, Julio, *Buero Vallejo,* Madrid, EPESA, 1975.

MÜLLER, Rainer, *Antonio Buero Vallejo. Studien zum Spanischen Nachkriegstheater,* Köln, Universität, 1970.

NICHOLAS, Robert L., *The Tragic Stages of Antonio Buero Vallejo,* Chapel Hill, Estudios de Hispanófila, 1972.

PACO, Mariano de (ed.), *Estudios sobre Buero Vallejo,* Murcia, Universidad, 1984.

—, (ed.), *Buero Vallejo (Cuarenta años de Teatro),* Murcia, Cajamurcia, 1988.

PAJÓN MECLOY, Enrique, *Buero Vallejo y el antihéroe. Una crítica de la razón creadora,* Madrid, 1986.

RUGGERI MARCHETTI, Magda, *Il teatro di Antonio Buero Vallejo o il processo verso la verità,* Roma, Bulzoni, 1981.

RUPLE, Joelyn, *Antonio Buero Vallejo. The first fifteen years,* Nueva York, Eliseo Torres & Sons, 1971.

VERDÚ DE GREGORIO, Joaquín, *La luz y la oscuridad en el teatro de Buero Vallejo,* Barcelona, Ariel, 1977.

LIBROS QUE ESTUDIAN A BUERO VALLEJO

AMORÓS, Andrés; MAYORAL, Marina, y NIEVA, Francisco, *Análisis de cinco comedias (Teatro español de posguerra),* Madrid, Castalia, 1977 (Buero, págs. 96-137).

ARAGONÉS, Juan Emilio, *Teatro español de posguerra,* Madrid, Publicaciones Españolas, 1971 (Buero, págs. 19-25).

BOREL, Jean-Paul, *El teatro de lo imposible,* Madrid, Guadarrama, 1966 (Buero, págs. 225-278).

EDWARDS, Gwynne, *Dramatist in Perspective: Spanish Theatre in the Twentieth Century,* Cardiff, University of Wales Press, 1985 (Buero, págs. 172-218). Traducción española: *Dramaturgos en perspectiva,* Madrid, Gredos, 1989 (Buero, págs. 245-308).

ELIZALDE, Ignacio, *Temas y tendencias del teatro actual,* Madrid, Cupsa, 1977 (Buero, págs. 166-207).

FORYS, Marsha, *Antonio Buero Vallejo and Alfonso Sastre. An Annotated Bibliography,* Londres, The Scarecrow, 1988 (Buero, págs. 3-150).

GARCÍA LORENZO, Luciano, *Documentos sobre el teatro español contemporáneo,* Madrid, SGEL, 1981 (Buero, págs. 115-126 y 404-405).

—, *El teatro español hoy,* Barcelona, Planeta, 1975 (Buero, págs. 120-131).

GARCÍA PAVÓN, Francisco, *El teatro social en España (1865-1962),* Madrid, Taurus, 1962 (Buero, págs. 134-145).

GARCÍA TEMPLADO, José, *Literatura de posguerra. El teatro,* Madrid, Cincel, 1981 (Buero, págs. 39-49).

GIULIANO, William, *Buero Vallejo, Sastre y el teatro de su tiempo,* Nueva York, Las Américas, 1971 (Buero, págs. 75-162).

GUERRERO ZAMORA, Juan, *Historia del teatro contemporáneo,* Barcelona, Juan Flors, 1967 (Buero, vol. IV, págs. 79-62).

HOLT, Marion Peter, *The Contemporary Spanish Theater (1949-1972),* Boston, Twayne, 1975 (Buero, págs. 110-128).

ISASI ANGULO, Amando Carlos, *Diálogos del teatro español de postguerra,* Madrid, Ayuso, 1974 (Buero, págs. 45-86).

MARQUERÍE, Alfredo, *Veinte años de teatro en España,* Madrid, Editora Nacional, 1959 (Buero, págs. 177-187).

MEDINA, Miguel Ángel, *El teatro español en el banquillo,* Valencia, Fernando Torres, 1976 (Buero, págs. 49-56).

MOLERO MANGLANO, Luis, *Teatro español contemporáneo,* Madrid, Editora Nacional, 1974 (Buero, págs. 80-97).

OLIVA, César, *El teatro desde 1936,* Madrid, Alhambra, 1989 (Buero, págs. 233-262).

PÉREZ MINIK, Domingo, *Teatro europeo contemporáneo,* Madrid, Guadarrama, 1961 (Buero, págs. 381-395).

PÉREZ STANFIELD, María Pilar, *Direcciones del Teatro Español de Posguerra,* Madrid, José Porrúa Turanzas, 1983.

RODRÍGUEZ ALCALDE, Leopoldo, *Teatro español contemporáneo,* Madrid, EPESA, 1983 (Buero, págs. 182-187).

RUIZ RAMÓN, Francisco, *Estudios de teatro español clásico y contemporáneo,* Madrid, Fundación Juan March-Cátedra, 1978 (Buero, págs. 176-183, 198-203 y 222-226).

—, *Historia del teatro español. Siglo XX,* Madrid, Cátedra, 5.ª edición, 1981 (Buero, págs. 337-384).

—, *Celebración y catarsis (Leer el teatro español),* Murcia, Universidad, Cuadernos de la Cátedra de Teatro, 1988 (Buero, págs. 167-174 y 188-194).

SALVAT, Ricard, *El teatre contemporani,* Barcelona, Edicions 62, 1966 (Buero, vol. II, págs. 227-231).

TORRENTE BALLESTER, Gonzalo, *Teatro español contemporáneo,* Madrid, Guadarrama, 2.ª edición, 1968 (Buero, págs. 390-400 y 588-595).

URBANO, Victoria, *El teatro español y sus directrices contemporáneas,* Madrid, Editora Nacional, 1972 (Buero, págs. 195-210).

ARTÍCULOS SOBRE *LA FUNDACIÓN*

ABAD NEBOT, Francisco, «La Fundación», en *El Signo literario,* Madrid, Edaf, 1977.

ANSÓN, Luis María, «Condenados a muerte», *ABC,* 23 de marzo de 1974.

BAQUERO, Arcadio, *«La Fundación:* una tragedia en forma de fábula», *Actualidad Española,* 21 de febrero de 1974.

BEJEL, Emilio F., «El proceso dialéctico de *La Fundación* de Buero Vallejo», *Cuadernos Americanos,* 219 (1978).

BILBATÚA, Miguel, «La Fundación», *Destino,* 9 de febrero de 1974.

—, «Una "fundación" en el aire», *Cuadernos para el Diálogo,* 126 (1974).

CLAVER, José María, «Metamorfosis de las cárceles del alma», *Ya,* 17 de enero de 1974.

CORBALÁN, Pablo, *«La Fundación* de Buero Vallejo», *Informaciones,* 16 de enero de 1974.

CRESCIONI NEGGERS, Gladys, *«La Fundación,* the Last of Buero Vallejo's Plays», *Hispania,* LIX (1976).

DÍAZ CASTAÑÓN, Carmen, «De la Residencia a la Fundación», *Nueva Conciencia,* 9, 1974, y en Mariano de Paco, *Estudios sobre Buero Vallejo,* cit.

DÍEZ CRESPO, M., «En el Fígaro, *La Fundación* de Buero Vallejo», *El Alcázar,* 17 de enero de 1974.

FERNÁNDEZ SANTOS, A., *«La Fundación* de Antonio Buero Vallejo», *Ínsula,* 328 (1974).

LÁZARO CARRETER, Fernando, «Sobre teatro español, en Londres», *Gaceta Ilustrada,* 18 de mayo de 1975.

LÓPEZ SANCHO, Lorenzo, «Planetario. Antoine y Tomás», *ABC,* 6 de febrero de 1974.

MESEGUER, Manuel María, «Buero Vallejo al otro lado de las rejas», *ABC,* 31 de mayo de 1974.

MONLEÓN, José, «*La Fundación* de Buero: una crónica», *Triunfo,* 26 de enero de 1974.

—, «Buero: de la repugnante y necesaria violencia a la repugnante e inútil crueldad», *Primer Acto,* 167 (1974).

PACO, Mariano de, «*La Fundación* en el teatro de Buero Vallejo», *La Estafeta Literaria,* 560 (1975).

PAYERAS GRAU, María, «Complejidad dramática y trasfondo ético en el teatro de Buero Vallejo (a propósito de dos dramas de intención política)», *Anthropos,* 79 (1987).

PASTOR PETIT, «Tras *La Fundación.* Buero Vallejo en Barcelona», *Destino,* 16 de noviembre de 1977.

PÉREZ COTERILLO, Moisés, «*La Fundación*», *Reseña,* 74 (1974).

PREGO, Adolfo, «*La Fundación,* de Buero Vallejo», *ABC,* 17 de enero de 1974.

QUEIZÁN, Eduardo, «El espectador en el escenario», *Primer Acto,* 167 (1974).

RICO, Eduardo G., «Anoche se estrenó en el Fígaro *La Fundación,* de Buero Vallejo», *Pueblo,* 16 de enero de 1974.

RUGGERI MARCHETTI, Magda, «*La Fundación,* sintesi tematica del teatro di Buero Vallejo», *Rivista di Letterature Moderne e Comparate,* XXXII (1979).

SHEEHAN, Robert Louis, «*La Fundación:* Idearium for the New Spain», *Modern Language Studies,* VIII (1978).

LA FUNDACIÓN

FÁBULA EN DOS PARTES

Esta obra se estrenó el 15 de enero de 1974, en el Teatro
Fígaro, de Madrid, con el siguiente

REPARTO

(Por orden de intervención)

TOMÁS	Francisco Valladares
HOMBRE	José Albiach
BERTA	Victoria Rodríguez
TULIO	Pablo Sanz
MAX	Enrique Arredondo
ASEL	Jesús Puente
LINO	Ernesto Aura
ENCARGADO	Luis García Ortega
AYUDANTE	Avelino Cánovas
PRIMER CAMARERO	José Solanes
SEGUNDO CAMARERO	Máximo Ruiz
VOCES	

En un país desconocido

Derecha e izquierda, las del espectador

Dirección: JOSÉ OSUNA
Espacio escénico: VICENTE VELA

NOTA: La descripción de la escena y de todas las modificaciones ma-
teriales que en ella acontecen se expresa en las acotaciones con arreglo a
la mayor simplicidad técnica.

El director puede enriquecer todo ello en la medida de las posibilidades a su alcance y según le dicte su personal inventiva.

Los fragmentos encerrados entre corchetes fueron suprimidos en las
representaciones para reducirlo a su duración habitual.

PARTE PRIMERA

I

La habitación podría pertenecer a una residencia cualquiera. No es amplia ni lujosa. El edificio donde se halla se ha construido con el máximo aprovechamiento de espacios. Los muros son grises y desnudos: ni zócalo, ni cornisa. Muebles sencillos pero de buen gusto: los de una vivienda funcional donde se considera importante el bienestar. Pero el relativo apiñamiento de pormenores que lo acreditan aumenta curiosamente la sensación de angostura que suscita el aposento. El techo se encuentra, sin embargo, tan alto que ni siquiera se divisa. De tono neutro, sin baldosas ni fisuras, parece el suelo de cemento pulimentado. El ángulo entre el lateral izquierdo y la pared del fondo no es visible: los pliegues de una larga cortina que se pierde en la altura forman un chaflán que lo oculta. En el lateral izquierdo, a media altura y cerca de la cortina, sobresale del muro una taquilla de hierro colado en él empotrada. Sin puertas ni cortinillas, su pobre aspecto contrasta con el de otros muebles. En sus dos anaqueles brillan finas cristalerías, vajillas, plateados cubiertos, claros manteles y servilletas allí depositados. Bajo la taquilla, el blanco esmalte de una puertecita cierra un pequeño frigorífico embutido en la pared. En el primer término de dicho lateral e incrustada asimismo en el muro, sobria percha de hierro, de cuyos pomos cuelgan seis saquitos o talegos diferentes entre sí. Arrimada al muro y bajo ellos, cama extensible que, plegada por su mitad, forma un mueble vertical. En la pared del fondo y junto a la cortina, la única puerta, estrecha y baja, de tablero ahora invisible por estar abierta hacia afuera y a la izquierda del marco. Hállase éste al fondo de un vano abocinado en el muro, cuyo gran espesor es evidente. Sobre la puerta, globo de luz y, más arriba, la rejilla redonda de un altavoz. Contiguo al vano y abarcando el resto del muro hasta su borde derecho, enorme ventanal de gran altura y de alféizar sólo un poco más bajo que el dintel de la puerta. Su marco se halla, asimismo, en un hueco ligeramente abocinado del muro. El ventanal no parece poder abrirse: dos simples largueros verticales sin fallebas sostienen los cristales. Bajo el ventanal y con la cabecera adosada al muro de la derecha, una cama sencilla y clara de línea moderna. Alineados bajo ella, tres bultos recubiertos por arpilleras o mantas diversas, de utilidad desconocida por el momento. Sujeta a la pared sobre la cabecera del lecho, pantallita cónica de metal. El resto del lateral derecho lo ocupa casi por completo una estantería de finas maderas, totalmente empotrada en el muro y quebrada por irregulares plúteos. En su parte baja, un televisor; en algún otro de sus tableros, varios botones. En sus estantes lucen los bellos y lujosos tejuelos de numerosos libros y asoman artísticas figuritas de porcelana o cristal. Bajo la estantería y cercana al lecho, emerge del muro la tabla de una mesilla, al parecer también de hierro: una simple superficie sobre la que descansan libros, revistas y un teléfono blanco. En el primer término de la escena y hacia la derecha, mesa rectangular de clara madera y suave barniz, no muy grande. Sobre ella, periódicos y alguna revista ilustrada. A su alrededor, cinco acogedores silloncitos de luciente metal y brillante cuero. A la derecha del primer término, pendiente de una larga varilla que se pierde en lo alto, gran lámpara con su moderna pantalla de fantasía. La puerta abierta da a lo que parece ser un corredor estrecho, limitado por una barandilla metálica que continúa hacia ambos lados y que causa la impresión de dar al vacío. Tras el ventanal, lejana, la dilatada vista de un maravilloso paisaje: límpido cielo, majestuosas montañas, la fulgurante plata de un lago, remotos edificios que semejan extrañas catedrales, el dulce verdor de praderas y bosquecillos, las bellas notas claras de amenas edificaciones algo más cercanas. Tras la barandilla del corredor y en la lejanía, prolóngase el mismo panorama. Con su contradictoria mezcla de modernidad y estrechez, la habitación sugiere una instalación urgente y provisional al servicio de alguna actividad valiosa y en marcha. La risueña luz de la primavera inunda el paisaje; cernida e irisada claridad, un tanto irreal, en el aposento.

(Suave música en el ambiente: la Pastoral de la Obertura de «Guillermo Tell», de Rossini, fragmento que, no obstante su brevedad, recomienza sin interrupción hasta que la acción lo corta. Acostado en el lecho, bajo limpias sábanas floreadas y rica colcha, un HOMBRE *inmóvil, de cara a la pared. Con una flamante escoba,* TOMÁS *está barriendo basurillas que lleva hacia la puerta. Es un mozo de unos veinticinco años, de alegre semblante, que usa pantalón oscuro y camisa gris. Sobre el pecho, un pequeño rectángulo negro donde des-*

cuella, en blanco, la inscripción C-72. Cal-
zado blando. La escoba se mueve flojamente;
TOMÁS *silba quedo algo de la música que oye*
y se detiene, acompañándola con un leve ca-
beceo.)

TOMÁS.—Rossini... *(Se vuelve hacia el lecho.)* ¿Te
gusta? *(No hay respuesta.* TOMÁS *da un par de escobazos.)*
Poco hemos hablado tú y yo desde que vinimos a la Fundación. Ni siquiera sé si te gusta la música. *(Se detiene.)* A los
enfermos les distrae. Pero si te molesta... *(No hay respuesta. Barre.)* Es una melodía tan serena como el fresco
de la madrugada, cuando asoma el sol. Da gusto oírla en un
día [tan luminoso] como éste. *(Ante el ventanal.)* [¡Si vieras
cómo brilla el campo! Los verdes, el lago... Parecen joyas.]
*(Reanuda el barrido, saca la basura por la puerta y la deja
fuera, a la derecha. Se asoma a la barandilla y contempla
el paisaje. El sol baña su figura. Vuelve a entrar y, apar-
tando levemente la cortina de la izquierda, deja detrás la
escoba.)* ¿Te gustaría ver el paisaje? El aire está tibio. Si
quieres, te incorporo. ¿Eh? *(Ninguna respuesta. Se acerca
a la cama y baja la voz.)* ¿Te has dormido?

> *(El enfermo no se mueve.* TOMÁS *va a alejarse
> de puntillas. Fatigada y débil, se oye la voz del*
> HOMBRE *acostado.)*

HOMBRE.—Habla cuanto quieras. Pero no me pregun-
tes... Estoy cansado.
TOMÁS.—*(Va a la mesa y toma una revista.)* Claro, no te
alimentas... *(Ríe y se sienta.)* Asel ha dicho que no te conviene tomar nada, y Asel es médico. *(Deja la revista.)* Pero

tampoco te veo tomar líquidos, *(Señala a la cortina.)* ni ir al cuarto de aseo. *(Se levanta y se acerca.)* ¿Te levantas mientras dormimos? *(Se inclina hacia él.)* ¿Eh?...

> (BERTA *ha aparecido por la derecha del corredor y entra a tiempo de oír las últimas palabras de* TOMÁS, *a quien contempla, sonriente. Es una muchacha de mirada dulce y profunda, de brillante melena leonada. El blanco pantaloncillo que viste deja ver sus exquisitas piernas; sobre la inmaculada camisa de abierto cuello, un rectángulo azul con la inscripción A-72. En las manos, un diminuto bulto blanquecino.)*

BERTA.—No te va a responder. Se ha dormido.
TOMÁS.—*(Se vuelve hacia ella.)* ¡Berta!

> *(Se acerca para abrazarla.)*

BERTA.—*(Lo elude, risueña.)* ¡Cuidado!

> *(Avanza.)*

TOMÁS.—*(Tras ella.)* ¡No te escapes!
BERTA.—*(Muestra sus manos.)* Lo vas a aplastar.
TOMÁS.—¿Un ratón blanco?
BERTA.—Del laboratorio. Nos hemos hecho amigos. *(Se lo enseña.)* Es muy dócil. Apenas se mueve.
TOMÁS.—Le habrán inoculado algo.
BERTA.—No. Aún no hemos empezado a trabajar. ¿Y vosotros?
TOMÁS.—*(La abraza por la espalda.)* Tampoco.

BERTA.—*(Levanta sus manos.)* Te está mirando. Te quiere.

TOMÁS.—¡Deliras!

BERTA.—¿No le ves la ternura?

TOMÁS.—¿Dónde?

BERTA.—En esas gotitas de vino que tiene por ojos. Bésalo. *(TOMÁS besa su cuello.)* ¡A él!

TOMÁS.—No quiero.

BERTA.—Disimula, Tomasito. Es mi novio.

[TOMÁS.—¿Me traicionas con un ratón?

BERTA.—Le hablaba a él, no a ti.]

TOMÁS.—*(Se separa, inquieto.)* ¿Le has puesto mi nombre?

> *(BERTA asiente. TOMÁS va hacia la mesa, pensativo.)*

BERTA.—*(Al ratón.)* Tomás, rabo largo, el señor se ha enfadado. Es un egoísta.

TOMÁS.—*(Con media sonrisa.)* Más bien celoso.

[BERTA.—*(Ríe.)* ¡Te odia, Tomasín! Pone ojos tiernos para que se quede contigo.

TOMÁS.—¿Yo?

BERTA.—Hay que salvar a Tomás...

TOMÁS.—¡Tomás soy yo!]

BERTA.—[A Tomás rabo largo.] *(Va hacia él.)* ¿No te da lástima? Me gustaría rescatarle de lo que le espera. Podrías cuidarlo en algún rinconcito del cuarto de baño... Sería vuestra mascota. *(Él deniega.)* ¿No?

TOMÁS.—Devuélvelo a su jaula, Berta. Lo necesitan.

BERTA.—*(Después de un momento.)* Aborrezco a la Fundación.

TOMÁS.—[Gracias a sus becas vas a ampliar tus estudios y yo a escribir mi novela...] *(Se acerca. BERTA acaricia al* *roedor, sin mirar a* TOMÁS.*) La Fundación es admirable, y lo sabes.

BERTA.—Sacrifica ratones.

TOMÁS.—Y perros, y monos... Héroes de la ciencia. Un martirio dulce: ellos ignoran que lo sufren y hasta el final se les trata bien. ¿Qué mejor destino? Si yo fuera un ratoncito lo aceptaría.

BERTA.—*(Lo mira, enigmática.)* No. *(Breve pausa.)* Tú eres un ratoncito, y no lo aceptas.

TOMÁS.—*(Inmutado.)* A veces no te entiendo.

BERTA.—Sí me entiendes.

TOMÁS.—*(Pasea.)* Pero, ¿a qué vienen esos escrúpulos tardíos? ¡Es tu trabajo!

BERTA.—Quisiera salvar a mi amiguito.

TOMÁS.—¡Todos los ratones son iguales!

BERTA.—Éste se llama Tomás.

[TOMÁS.]—*(La toma por la cintura.)* [Ponle otro nombre. *(Ríe.)* Llámale Tulio. Es el más antipático de mis compañeros.

BERTA.—No puedo, se llama] como tú. *(Se desprende y se encara con* TOMÁS.*)* ¡Y lo salvaré! (TOMÁS *la mira, perplejo.)* Adiós.

(Va hacia la puerta.)

TOMÁS.—*(Leve angustia en su voz.)* ¡Espera! *(La retiene por un brazo.)* Mis compañeros no tardarán en volver. Y quieren conocerte. *(La conduce a un silloncito. Ella se sienta, acariciando al ratoncillo.)* No acaban de creer que tú también hayas venido a la Fundación.

BERTA.—¿Por qué no?

TOMÁS.—Dicen que es mucha casualidad. *(Se sienta sobre la mesa, a su lado.)* Están ciegos para las casualidades.

(Extiende un dedo hacia el número de la camisa de ella.)
Ayer les hablé de ésta. *(Ella sonríe.)* ¿Os parece mentira
que mi novia esté en la Fundación? —les dije—. Pues además le han dado el mismo número que a mí: [el 72].

BERTA.—¿Tampoco lo creyeron?

TOMÁS.—¡Menos aún! Se echaron a reír... Excepto Asel.
Es un tipo desconcertante.

BERTA.—*(Sin mirarle.)* ¿Lo conocías de antes?

TOMÁS.—No... No. ¿Por qué lo preguntas?

BERTA.—Por preguntar.

TOMÁS.—Él no se rió. Él dijo: eso, más que una casualidad, sería un prodigio. Ahora los conocerás, verán tu número y se convencerán de que todo lo que nos sucede a ti y
a mí es prodigioso. ¿A que sí?

BERTA.—Sí. *(Él se inclina y la besa largamente. Ella
ríe.)* Tomasito se me va a escapar. *(Se levanta y sujeta al
animal.)* Quieto, rabo largo. No seas tú ahora el celoso. *(Se
lo enseña.)* Mira, me está diciendo algo.

TOMÁS.—Yo nada oigo.

BERTA.—Es otro prodigio. *(Se aproxima el ratón a una
oreja.)* Dice que se acerca la hora del almuerzo [y que
quiere comer]. Deben de ser celos, pero tiene razón. No
puedo esperar más.

TOMÁS.—*(Se levanta.)* ¡Un minuto! Pronto estarán de
vuelta... *(La toma por un brazo.)* ¿Cómo has sabido que
hoy no salía yo a pasear?

BERTA.—¿No te toca el aseo de la habitación?

TOMÁS.—¿Cómo lo sabes? Desde anteayer no hemos hablado.

BERTA.—*(Lo mira hondamente.)* Me lo habrás dicho tú.

TOMÁS.—*(Intrigado.)* No.

BERTA.—*(Desvía la vista y eleva la cabeza.)* Noto un
olor desagradable...

TOMÁS.—*(Desvía la vista.)* Viene del cuarto de baño. La taza filtra mal. [O quizá sea el depósito, que descarga sin fuerza... Ya he avisado al Encargado de la planta.] *(Ríe.)* Hasta una Fundación como ésta sufre deficiencias... Se han dado tanta prisa en construir y organizar que aún no hay servicio, ni comedores...

BERTA.—Y el apiñamiento.

TOMÁS.—Claro. Mientras terminan los nuevos pabellones. ¿Estáis vosotras mejor atendidas [en los vuestros]?

BERTA.—Lo mismo. Sin servicio aún. Y por eso me tengo que ir. Vámonos, rabo largo.

(Inicia la marcha.)

TOMÁS.—*(La detiene con timidez.)* Ya no tardan nada... Y es gente interesante. Te agradarán. Incluso Tulio. Es un poquitín grosero y aborrece la música... Pero es un fotógrafo excepcional, que anda tras un descubrimiento óptico formidable. Un verdadero sabio, aunque algo desequilibrado. Y Max, otro sabio. Un matemático eminente. Pero éste, simpatiquísimo y servicial... Lino es ingeniero. Va a experimentar un nuevo sistema de pretensados... Habla poco y es buena persona.

BERTA.—Y Asel.

TOMÁS.—Asel. El mejor de todos.

BERTA.—*(Por el hombre acostado.)* ¿Y éste?

TOMÁS.—*(Después de un momento.)* No lo creerás, pero aún no sé a lo que se dedica. *(Se acerca al lecho.)* Como está enfermo no lo cansamos con preguntas.

BERTA.—¿Nos estará oyendo?

TOMÁS.—Duerme profundamente. *(La invita a aproximarse. Ella lo hace. [En voz baja.])* Mira. Parece un campe-

sino. Quizá sea un horticultor... Ensayará injertos, cultivos
y todas esas cosas.]

(Breve pausa.)

BERTA.—Se me ha hecho tarde, amor. Ahora sí que
me voy.
TOMÁS.—*(La abraza. Se le vela la voz.)* Vuelve esta noche.
BERTA.—*(Asombrada.)* ¿Aquí?
TOMÁS.—[Son muy dormilones... y] muy comprensivos.
Si nos refugiamos en el cuarto de baño no dirán nada.
BERTA.—*(Al ratón.)* Está loco, Tomasín.
TOMÁS.—Loco por ti. ¿Vendrás?
BERTA.—*(Después de un momento.)* Aborrezco a la Fun-
dación.
TOMÁS.—*(La besa.)* Pero no a mí... Vuelve esta noche.
BERTA.—Basta... *(Se desprende.)* Basta.

(Va hacia la puerta.)

TOMÁS.—¿Vendrás?
BERTA.—*(Desde la puerta muestra al ratón.)* Tengo que
proteger a mi otro novio... *(Señala la cortina.)* Y en el
cuarto de baño huele mal.
TOMÁS.—¡Nos vamos a otro sitio!
BERTA.—*(Risita.)* ¿Adónde? *(Él no sabe qué responder.)*
¡Adiós!

*(Desaparece por la derecha del corredor. TO-
MÁS sale presuroso y alza la voz.)*

TOMÁS.—¡Yo sé que vendrás! *(Llega de más lejos la argentina risa de BERTA. TOMÁS la ve alejarse. Luego con-

*templa el paisaje y respira el aire perfumado. Penetra de
nuevo en la estancia y sonríe hacia el* HOMBRE *enfermo.)*
¡Cielos, qué mañana! Tan pura como la de Rossini. Duerme, duerme. *(Cruza.)* Amortiguaré un poco la música.

HOMBRE.—Estoy despierto. ⟶ heard everything

TOMÁS.—*(Se detiene, inmutado.)* [Perdona...] Los dos
creíamos que dormías... Te habremos molestado.

HOMBRE.—He dormitado a ratos... *(Con voz de sueño.)*
Ninguna molestia. (TOMÁS *se acerca a la estantería, mani-
pula en un botón y la música se amortigua.)* Hay un olor
desagradable.

TOMÁS.—*(Se vuelve hacia él, turbado.)* [Del cuarto de
aseo. Lo arreglarán pronto...] ¿Prefieres así la música? *(No
hay respuesta.* TOMÁS *se encamina a la mesa sin hacer
ruido y toma una revista. Cuando va a sentarse llegan por
la izquierda del corredor cuatro hombres que miran hacia la
derecha por un momento. En cuanto los ve,* TOMÁS *corre a
la estantería y corta la música. Ellos entran. El primero en
hacerlo es* TULIO, *magro cuarentón de rostro afilado y serio. Viste, como todos, camisa gris: en su rectángulo negro,
la inscripción C-81. Pantalón oscuro, diferente al de los
demás, asimismo distintos entre sí.)* ¿Qué tal el paseo?

TULIO.—*(Hosco.)* Bien.

> *(Los otros entran inmediatamente después:*
> MAX, *de unos treinta y cinco años, C-96 en su
> camisa, de agradable fisonomía, va a sentar-
> se a la mesa y hojea la revista dejada por*
> TOMÁS.)*

MAX.—¡Espléndido! Figúrate que hasta hemos jugado a
pídola. ¡Y Tulio ha resultado un maestro! (TULIO *lo mira,
ceñudo.)* En caerse, claro. Pero un maestro.

(Ríe, y TOMÁS *ríe con él. Entretanto,* LINO *cruza y va a sentarse al extremo derecho de la mesa. Muy vigoroso y de aire taciturno, aparenta unos treinta años. C-46 en su camisa.)*

TULIO.—*(Agrio.)* Voy a beber agua.

(Se acerca a la cortina. ASEL *se ha aproximado, nada más entrar, a la cama y observa al* HOMBRE *acostado. Después se recuesta contra el pie del lecho y mira a* TOMÁS. ASEL *es el mayor de todos: unos cincuenta años, tal vez más. Cabello gris, expresión reflexiva. En su rectángulo, C-73.)*

TOMÁS.—Son pullas sin malicia, Tulio. ¿Te sirvo una cerveza?
TULIO.—*(Seco.)* Prefiero agua.
[TOMÁS.—¿Sí? Pues yo no.]

*(*TULIO *desaparece tras la cortina.* MAX *se barrena una sien ante* TOMÁS, *que sonríe.)*

ASEL.—Y tú, Tomás, ¿qué tal lo has pasado?
TOMÁS.—Muy distraído. He oído a Rossini, he leído...
[ASEL.—¿Ninguna novedad?
TOMÁS.—Ninguna.] ¿Cuándo empezamos los trabajos?
MAX.—Tú, cuando quieras. Un escritor no necesita despachos ni laboratorios.

*(*TULIO *reaparece secándose la boca con la manga.)*

TOMÁS.—Y ya tomo mis notas. Pero también necesito aislamiento.

ASEL.—Así, pues, mañana tranquila. ¿Ninguna visita?

TOMÁS.—*(Sonríe.)* Una.

> *(Todos lo miran, tensos. Con un resuello de disgusto,* TULIO *se acerca a uno de los saquitos colgados a la izquierda, entreabre su boca sin descolgarlo y saca un pañuelo, que se guarda.* LINO *se levanta, mira de reojo a* TOMÁS *y se acerca a la puerta, en cuya esquina se recuesta.)*

ASEL.—*(Entretanto.)* ¿Quién?

TOMÁS.—*(Divertido.)* ¿No lo adivinas?

ASEL.—*(Se incorpora.)* Calla. Alguien se acerca.

> *(Se aproxima a la puerta.* MAX *se levanta y se sitúa a su lado.* TULIO *se vuelve hacia la puerta. Por la izquierda del corredor aparecen, sonrientes, el* ENCARGADO *y su joven* AYUDANTE. *Ambos visten impecable chaqueta negra, pantalón de corte y corbata de seda clara, al estilo de los regentes de hoteles. El* ENCARGADO *es un señor de edad mediana y porte distinguido.* TOMÁS *se acerca.)*

TOMÁS.—¡Buenos días, señor!

ENCARGADO.—*(Acentúa su sonrisa.)* Buenos días, caballeros. ¿Todo en orden?

TOMÁS.—Sí, señor. Tan sólo algunas pequeñeces sin importancia... ¿Cuándo abrirán los comedores?

ENCARGADO.—*(Ríe suavemente.)* Muy pronto. La Fundación les ruega que perdonen estas pasajeras deficiencias. Si me permite... *(Entra y observa al* HOMBRE *acostado.)* ¿Tampoco hoy se ha levantado?

ASEL.—Sigue débil. Pero no es grave.

ENCARGADO.—Muy bien. *(Huele discretamente el aire sin decir nada. Su mirada recorre el aposento.)* Celebro que los señores se encuentren a gusto.

> *(Regresa a la puerta.)*

TOMÁS.—Muchas gracias.

ENCARGADO.—*(Desde el corredor dedica a todos una sutil sonrisa.)* Siempre a la disposición de los señores.

> *(Se va por la derecha. El* AYUDANTE *se inclina, muy risueño, y desaparece a su vez.)*

TOMÁS.—Son amabilísimos.

> *(Con un sardónico gruñido cruza* TULIO, *toma un libro pequeño y deteriorado de la mesilla de noche y se recuesta en ella para hojearlo.* LINO *se asoma al exterior.* ASEL *torna a recostarse en los pies de la cama.)*

LINO.—Ya no tardará la bazofia. ~~bad food~~

MAX.—*(Mientras va a sentarse a la mesa.)* Linda manera de llamar a nuestros festines.

TOMÁS.—Es un exquisito.

LINO.—Perdona, Tomás... Es mi modo de hablar.

TOMÁS.—¿Yo? No tengo nada que perdonarte. ¿Quién quiere una cerveza?

> *(Sin levantar la vista del libro,* TULIO *emite otro gruñido de sorna.* TOMÁS *lo mira.* MAX *le indica por señas que no haga caso.)*

MAX.—Prefiero whisky. Yo [mismo] me lo serviré. *(Sin dejar de leer,* TULIO *suelta la carcajada.* ASEL *lo reprende con un meneo de cabeza.)* Y a éste, un calmante.

TOMÁS.—*(Ríe.)* Sí que le hace falta.

TULIO.—*(Sin levantar la vista.)* Me reía de algo... que pone aquí.

> *(*TOMÁS *llega al frigorífico y lo abre. Destellos de botellas y envases.* LINO *modula, abstraído, una absurda y discordante melodía con la boca cerrada: improvisados tonos que suben a veces desagradablemente.* TOMÁS, *que pensaba lo que podría sacar, lo mira, incómodo.)*

TOMÁS.—Si quieres pongo música. (LINO *lo mira, enmudece y se encoge de hombros.)* ¿Te apetece una cerveza?

> (LINO *mira a* ASEL, *quien le hace un leve gesto de asentimiento.)*

LINO.—Bueno.

ASEL.—*(Mirando a* TULIO.) Para mí otra.

> (TULIO *lo mira con desdén.* TOMÁS *recoge de la taquilla un abridor, con el que destapa una botella de cerveza.* MAX *toma de la taquilla dos vasos altos y se los presenta.* TOMÁS *los llena.* MAX *se acerca a* LINO *y le tiende uno.)*

MAX.—Toma.

LINO.—Gracias.

> *(Pero no lo toma.* TOMÁS *está abriendo otra botella. Saca otro vaso de la taquilla y se sirve.)*

MAX.—*(A* LINO.*)* Toma, hombre...

(TOMÁS *los mira.)*

LINO.—*(De mala gana.)* Trae.

(Toma el vaso. MAX *se acerca a* ASEL.*)*

ASEL.—¿Quién nos ha visitado esta mañana, Tomás? No [nos] lo has dicho.

(LINO, *que iba a beber, interrumpe su ademán.* TULIO *cierra su libro y mira a* TOMÁS. MAX *se detiene.)*

TOMÁS.—*(Ríe.)* Y no sé si decíroslo. *(Va a beber, se detiene y brinda su vaso a* TULIO.*)* Perdona, Tulio. ¿Te apetece?

(TULIO *lo mira, colérico.)*

MAX.—¿Le pongo estricnina para que te sepa mejor?

(TOMÁS *y él ríen.* TULIO *deja el libro sobre la mesilla con un golpe airado.)*

TOMÁS.—Bueno, hombre. No te sulfures.

(Y bebe.)

MAX.—Tu cerveza, Asel.

(Le tiende el vaso.)

ASEL.—*(Lo toma.)* Gracias.

(LINO *cruza hacia la mesa con los ojos bajos, deja blandamente el vaso que no ha bebido, se sienta en un sillón y tamborilea sobre la tabla.*)

TOMÁS.—¿Y tu whisky, Max?

(MAX *va a la taquilla, de la que saca un vaso con unos dedos de whisky ya servidos.*)

MAX.—Aquí está. ¿Me pones el hielo?

(*Sorprendido*, TOMÁS *lo mira y saca del frigorífico un recipiente de metal.*)

TOMÁS.—¿Cuándo te lo has servido?
MAX.—(*Con una rápida ojeada a los demás.*) Hace un minuto. ¿No lo has visto?
TOMÁS.—No...

(*Saca un par de cubitos de hielo con unas pinzas y se los echa en el vaso.* MAX *agita su bebida.* TOMÁS *guarda todo y cierra el frigorífico.*)

ASEL.—(*Suave.*) Tomás, dinos quién vino.

(LINO *deja de tamborilear y aguarda la respuesta.* TULIO *se cruza de brazos y mira a* TOMÁS. *Sin perderlo de vista,* MAX *bebe.*)

TOMÁS.—Pues... esa deliciosa personita cuya presencia en la Fundación os obstináis en negar.

(*Todos se miran.*)

ASEL.—¿Tu novia?

TOMÁS.—*(Jactancioso.)* ¡Y con el 72 en su blusa! ¡Por muy poco no te das de narices con el prodigio, Asel! No hace ni cinco minutos que se ha marchado. (TULIO *se sienta en un sillón y resopla con gesto adusto.)* ¡No me creen, Max! Piensan que me gusta inventar. *(Pasea y bebe.)* Que se lo pregunten al enfermo. Estaba despierto cuando ella vino.

TULIO.—*(Iracundo.)* ¡Cállate!

ASEL.—*(Se incorpora.)* ¡Tulio!

TULIO.—No lo aguanto.

> *(Se levanta y va a mirar al exterior desde la puerta.)*

ASEL.—¿Qué es lo que no aguantas? [En realidad, todos creemos a Tomás menos tú.] (TULIO *le mira, irritado.)* Procura serenarte. Llevas algún tiempo... demasiado nervioso.

[MAX.—Asel tiene razón. Te ayudaremos todos.

TULIO.—*(Seco.)* ¿A qué?]

TOMÁS.—*(De nuevo afable, sonríe a* TULIO.) [Te ayudaremos si lo necesitas, Tulio. Yo también, porque me considero tu amigo.] *(Se acerca.)* [Si te desagrada que hable tanto de Berta...

MAX.—Es muy natural. Es tu novia.]

[TOMÁS.]—Si a Tulio le molesta, no volveré a hablaros de ella.

TULIO.—Habla de lo que te dé la gana.

TOMÁS.—*(Reflexiona.)* Estamos algo aislados aquí... Ésa puede ser la causa.

ASEL.—¿La causa de qué?

TOMÁS —Raúl, tú recibes noticias de tu mujer y de tus hijos. Ayer tuviste carta.

ASEL.—Así es.

TOMÁS.—A Max lo visita su madre y a Lino también le llegan cartas de sus padres... ¿Estás casado, Tulio?

(Silencio.)

ASEL.—No tiene a nadie.

TOMÁS.—Te ruego que me perdones. Le diré a Berta...

TULIO.—(Pasea, exaltado.) ¿Que no venga por acá? ¡Gracias, hombre! ¡Ojalá vinieran muchas personas, ojalá viniese el mundo entero! (A los demás.) ¡Lo que me crispa no es lo que Tomás supone, y vosotros lo sabéis de sobra!

ASEL.—No grites, Tulio.

AYUDANTE.—¿Ni siquiera se va a poder gritar?

TOMÁS.—¿De qué hablas?

(LINO tamborilea de nuevo sobre la mesa.)

ASEL.—¡Por favor, no perdamos la calma! Tomás, ruégale a Berta, en nombre de todos, que nos visite lo antes que pueda,

TULIO.—¡Asel, esto es un error!

ASEL.—(Lento.) ¿Qué dices?

MAX.—(Sonriente.) No es un error y debes ofrecerle a Tomás tus excusas.

TOMÁS.—No es necesario.

MAX.—Sí lo es. A ti y a todos. (Ríe.) ¿Por qué no nos haces una de tus fotos maravillosas? Los buenos amigos de la Fundación a la hora del aperitivo. ¿Qué te parece?

TULIO.—(A media voz.) Que estáis todos chiflados.

Max.—Si me dejas la máquina os retrato yo, contigo en medio. A condición de que mires al pajarito y sonrías. ¡Será una sonrisa histórica!

> (*Menos* Tulio, *ríen todos: hasta el ensimismado* Lino *ríe a su pesar.*)

Tulio.—(*Con aviesa sonrisa.*) Conforme. A condición de que Berta se ponga a mi lado para la foto.

> (Tomás *lo mira, molesto.*)

Asel.—Eso es una grosería, Tulio.

> (Tulio *se encoge de hombros. El timbre del teléfono comienza a sonar suavemente. Nadie lo acusa.*)

Tomás.—(*Frío.*) También retratarás a Berta, si quieres hacerme ese favor. Pero no ahora, puesto que no está aquí.
Tulio.—Eso. No está aquí.

> (*Enfadado,* Tomás *da un paso hacia él... Se contiene y recobra la sonrisa.*)

Tomás.—¡Tulio, te dejo por imposible! (*Apura su cerveza.*) ¿Nadie toma el teléfono? (*Todos se miran.*) Hace rato que suena. Puede ser tu mujer, Asel. O quizá tu madre, Max...
Max.—Yo lo tomaré.
Tulio.—(*Entre dientes.*) ¡Y lo tomará!

> (Max *descuelga. Menos* Lino, *todos le miran.*)

MAX.—Diga... No, no soy Tomás... *(Le guiña un ojo a* TOMÁS, *que sonríe.)* [Es que nos confunde las voces.] Yo soy Max... ¡Qué amable! También todos nosotros deseamos conocerla... *(Con cara de vinagre,* TULIO *cruza bajo la triunfal mirada de* TOMÁS *y desaparece tras la cortina.)* Bueno, casi todos... (TOMÁS *está a su lado, nervioso.)* Mil gracias. Le paso el teléfono a Tomás, que se está mordiendo las uñas...

TOMÁS.—No digas tonterías.

(ASEL *va a la mesa y se sienta, atento.)*

MAX.—*(Ríe.)* ¡Ya se ha comido un meñique! ¡Tenga cuidado con él! ¡Es capaz de devorarla por teléfono!

TOMÁS.—¡Trae, ganso! *(Le arrebata el teléfono.* MAX *se acerca a la cortina y, como si viese a* TULIO *a su través, señala a* TOMÁS *con el gesto de preguntar: «¿Qué dices ahora?». Después va hacia la cama, observa un instante al enfermo y se reclina en la madera de los pies.)* ¡Berta, qué pronto has llegado!... ¿En tu coche? Creí que habías venido dando un paseo... *(Tapa el micrófono.)* Tiene un utilitario, pero le he prometido algo mejor para cuando nos casemos. *(Destapa.)* ¿Desde que no nos vemos? ¡Ah, yo sigo viéndote!... ¡Ya lo creo!... *(Se vuelve hacia la ventana.)* Desde aquí te veo en tu pabellón... [*(Ahoga la risa.)* Es que tengo ojo telescópico. Una enfermedad muy rara...] Oye, ¿sigue vivo Tomás?

ASEL.—¿Tomás?

TOMÁS.—*(Tapa el micrófono.)* Un ratón del laboratorio. Le ha puesto mi nombre la muy descarada. *(Destapa.)* ¡Dile que nos veremos las caras! ¡Lo suspenderé por el rabo en el aire, que es lo que más rabia les da!... ¡Al contrario! Tu llamada ha sido oportunísima. Quienes negaban tu existencia han tenido que morder el polvo. Esta noche te ofrecerán disculpas... ¡No, no! ¡No quiero ni oírlo! Esta noche vienes... ¡Para que mis amigos vean lo guapa que eres, mujer! *(El escándalo de un depósito que se descarga tras la cortina le interrumpe.)* No, ahora no te oigo bien... *(Disgustado por el ruido que no cesa, se tapa el oído libre, al tiempo que reaparece* TULIO *terminando de abrocharse el pantalón.)* ¡Oye!... ¡Que vengas esta noche!... *(Cuelga, molesto.)* Ha colgado. O han cortado, no sé... Espero que vendrá. Esta noche o mañana lo más tarde.

TULIO.—O pasado mañana.

TOMÁS.—*(Seco.)* Gracias por la buena intención. De todos modos ya no puedes negar que ella está aquí.

TULIO.—*(Cruza para sentarse a la mesa.)* Yo no me he puesto al teléfono.

TOMÁS.—*(Se acerca, amostazado.)* ¡Pero Max sí! ¡Y ha hablado con ella! ¡Y si no fuera por ese condenado ruido que has hecho, no sé si aposta...! (TULIO *lo mira de través.)* Porque se te podía haber ocurrido aliviarte en otro momento, digo yo...

ASEL.—¿Otra vez? Yo os ruego a los dos...

TULIO.—Descuida. Me callo.

TOMÁS.—También yo.

> *(Pasea.* LINO *reanuda sus extrañas modulaciones.* TOMÁS *se detiene ante el ventanal y contempla la campiña.)*

LINO.—¿Cuánto faltará para la comida?

ASEL.—Unos diez minutos.

> *(Saca una corta pipa, vieja y requemada, que chupetea con avidez.)*

LINO.—¿Tanto?

MAX.—No. Ni cinco minutos.

(*Pausa.*)

LINO.—(*A* ASEL, *en voz baja, señalando al enfermo.*) ¿Te corresponde hoy la ración de ése?

(TOMÁS *se vuelve despacio, escuchándolos con vaga inquietud.*)

ASEL.—(*Suspira.*) Pues... sí. Lo siento.

(TOMÁS *va a hablar, pero se contiene al oír a* LINO. MAX *hojea una revista.*)

LINO.—Si, al menos, pudiésemos fumarnos el pitillo de la espera... (ASEL *se saca la pipa de la boca y la huele con delectación.* TULIO *saca su pañuelo y se lo pasa por los labios.*) ¿No te quedará a ti ninguno, Max?

(MAX *deniega.*)

ASEL.—Paciencia. [Es otro de los lunares de esta admirable Fundación.] Creo que hasta dentro de dos días no abren el economato.

TOMÁS.—(*Avanza un paso, contento.*) ¡Pero eso os lo resuelvo yo ahora mismo!

LINO.—(*Con ilusión.*) ¿Te quedan cigarrillos?

TOMÁS.—¡Claro que sí! Yo apenas fumo. (*Se dirige a los talegos de la izquierda.*) ¡Y bebe tu cerveza, hombre! [¡Ni la has probado!] (LINO *recoge su vaso y bebe un sorbo sin quitarle ojo a* TOMÁS. TULIO *se engolfa en su libro, ceñudo.*

MAX *sorbe otro poquito de whisky.* ASEL *observa a* TOMÁS, *que extrae de uno de los saquitos una cajetilla de tabaco y la muestra a todos. No obstante, algo le defrauda a* LINO, *pues baja la cabeza.)* ¡A fumar!

> (TOMÁS *abre la cajetilla y ofrece.)*

ASEL.—Toma tu cigarrillo, Lino.

> (LINO *saca un cigarrillo de la cajetilla con torpes dedos y se queda con él en la mano.)*

TOMÁS.—*(A* ASEL.) ¿Tú no quieres?
ASEL.—*(Se lleva a la boca la pipa.)* Ya sabes que estoy intentando abandonar el vicio.
MAX.—Yo soy un vicioso repugnante. Dame.

> (*Toma un cigarrillo y saca de su bolsillo una caja de cerillas.)*

TOMÁS.—*(Tímido.)* Tulio... (TULIO *deniega con un dedo, sin levantar la cabeza.)* Pero tú fumas...

> (TULIO *niega con la cabeza, enfurruñado.* TOMÁS *mira a todos y esboza un consternado ademán.)*

ASEL.—*(Suave.)* También le has rechazado la cerveza... No lo desaires por segunda vez. [Él te estima.]
TULIO.—*(Golpea la mesa con el puño.)* [¡Basta de sermones!] *(Con gesto de impotencia, vuelve a golpear repetidas veces.)* Está bien. ¡Presento mis excusas! *(Rojo de ira.)* ¡Y le probaré que yo también le estimo! ¡Os lo probaré a todos!

[TOMÁS.—Pero, Tulio, no lo digas tan enfadado. Yo te agradezco tu buen deseo sin necesidad de esas explicaciones.

TULIO.—*(A todos, más calmado.)* Perdonadme, tengo el genio vivo.] (TOMÁS *le ofrece la cajetilla.)* Fumar, no. He dicho que no quiero y no quiero. *(Se levanta y cruza. Se vuelve hacia* TOMÁS.) Gracias.

> *(Se aposta ante la puerta y mira al exterior.* MAX *enciende su cigarrillo y ofrece lumbre a* LINO, *que vacila.* MAX *insiste;* LINO *se pone el cigarrillo en la boca y lo enciende. Pero, tras dos o tres chupadas, lo deja consumirse sobre el cenicero.* TOMÁS *saca un cigarrillo y se guarda la cajetilla.)*

TOMÁS.—¿Me das fuego? (MAX *le prende el cigarrillo.)* Gracias. ¿Enciendo la televisión?

MAX.—Viene muy sosa a estas horas.

TOMÁS.—Con estas niñerías ni me he acordado de poner la mesa, [y el almuerzo debe de estar al llegar.] Lo hago en un vuelo.

MAX.—¡Y como nadie! Si te falla la literatura, ya sabes: camarero de gran hotel. Ganan más que los novelistas...

TOMÁS.—*(Ríe.)* Lo pensaré.

> *(Ha ido a la mesa y recoge todos los periódicos y revistas, que deja sobre la mesilla.* TU-LIO *se vuelve y lo mira con tristes ojos.)*

TULIO.—*(Humilde.)* ¿Te ayudo?

ASEL.—¡Bravo, Tulio!

> (TULIO *dibuja una sonrisa avergonzada.)*

TOMÁS.—*(Conmovido.)* [Si quieres,] con mucho gusto.
[Te lo agradezco de veras.] Retira tú los vasos, por favor.
¿Acabasteis todos?

MAX.—*(Se apresura a apurar su vaso y lo suelta.)* Listo.

(TULIO *se acerca a la mesa, indeciso.* TOMÁS
recoge el cenicero, donde el cigarrillo de LINO
aún lanza su columna de humo.)

TOMÁS.—¿No te gusta este tabaco, Lino?

(Apaga la colilla.)

LINO.—¿Eh? Sí. Cualquier tabaco me gusta.

TOMÁS.—*(Va a la mesilla para dejar el cenicero.)* Se te
ha consumido entero...

LINO.—*(Desconcertado, mira a los demás.)* Estaba distraído.

TOMÁS.—Pídeme [otro] cuando quieras. *(Nada más dejar el cenicero se detiene, asombrado por la increíble ac-
tuación de* TULIO, *quien, después de mimar los ademanes
de apiñar y recoger vasos, pero sin rozar siquiera los que
se ven sobre la mesa, se encamina con esa carga imaginaria hacia la taquilla. Los demás no parecen hallar nada
anómalo en su proceder;* MAX *se levanta, apurando su colilla para dejarla en el cenicero, y después se acerca al*
HOMBRE *acostado para observarlo discretamente. De
nuevo abstraído,* LINO *tamborilea sobre la mesa con ambas manos. Sonriente y saboreando su pipa vacía,* ASEL
mira a TULIO. TOMÁS *reprime su despecho.)* No debiste
ofrecerme ayuda para reírte de mí.

(Todos lo miran, sorprendidos. TULIO *se detiene y se vuelve, inquieto. Muy atento,* ASEL *avanza hacia ellos.)*

TULIO.—¿Me hablas a mí?

TOMÁS.—*(Glacial.)* ¿A quién, si no?

(Va a la mesa.)

TULIO.—¿Y por qué... me dices eso?

TOMÁS.—¿Qué estás haciendo?

TULIO.—*(Turbado.)* Llevar los vasos... a la alacena.

TOMÁS.—¿Qué vasos?

TULIO.—*(Apenas se atreve a levantar las manos.)* Éstos.

(Reúne los vasos, que tintinean.)

TULIO.—Pero... si yo...

MAX.—*(Rápido.)* ¡Ha sido una broma, Tomás!

TOMÁS.—¡De muy mal gusto! *(Cruza con los vasos hacia la taquilla.)* [Me parece... ¡Vamos! ¡Me parece que mis deseos de conciliación no han podido ser más claros!]

ASEL.—[Sin duda,] pero cálmate...

TOMÁS.—*(Saca de la taquilla un mantel estampado.)* ¡Me ha ofrecido ayuda para burlarse!

TULIO.—¡No!

TOMÁS.—*(Mientras va a la mesa y pone el mantel.)* [¡No le soportaré ni una burla más!] Pediré al Encargado que lo trasladen de habitación.

MAX.—*(Le ayuda a extender el mantel.)* ¿No lo entiendes? Hay que disculpárselo...

TULIO.—*(A* ASEL.*)* ¡Yo quería complacerle!

TOMÁS.—¡Y todavía insiste! *(Mientras va a la taquilla para tomar servilletas.)* ¡No quiero oírle ni una palabra más! Este incidente ha terminado. *(Con una colérica mirada a* TULIO.*)* Para siempre.

ASEL.—No, Tomás...

TOMÁS.—¿Lo vas a disculpar?

MAX.—Trae.

> *(Le recoge las servilletas y las va colocando.)*

ASEL.—No ha sido una burla, Tomás.

> *(*TOMÁS *va a buscar cubiertos.)*

TULIO.—*(Con un gruñido sarcástico señala a* MAX.*)* ¡Vaya! Resulta que yo soy el único que no sabe ayudar.

MAX.—*(A* TOMÁS.*)* Yo pondré las copas.

> *(Va a la taquilla y saca copas, que lleva a la mesa.)*

TULIO.—*(Con despecho.)* ¡Las copas!

ASEL.—*(Se acerca a* TOMÁS.*)* Tienes que comprenderlo. Él no sabía lo que hacía.

[MAX.—Yo traigo el vino.

> *(Va a la taquilla.)]*

TULIO.—¡Asel, si lo explicas así, prefiero explicarlo yo!

ASEL.—No seas picajoso. *(A* TOMÁS.*)* Y tú, ven aquí.

> *(*MAX *lleva a la mesa una botella de vino.* TOMÁS *deja sobre la mesa su carga de cubiertos.)*

TOMÁS.—Tengo que poner la mesa.

(*Va a la taquilla y toma los platos.*)

ASEL.—(*Le sigue.*) Escúchame, por favor.

(*Lo toma de un brazo.*)

TOMÁS.—Déjame.
ASEL.—(*Lo retiene y le lleva al primer término.*) Ven.
TULIO.—(*Se acerca.*) ¡Te digo que así no! ¡Ya estoy
harto!
ASEL.—(*Tajante.*) ¡Cállate!

(*Breve pausa.*)

TULIO.—(*Respira con fuerza.*) ¡Como quieras! Seguiré
teniendo paciencia.

(*Y se aparta hacia la mesa, en cuyo extremo
derecho se sienta, cruzándose de brazos.*)

ASEL.—(*A media voz.*) Tomás, tú sabes que Tulio...
TOMÁS.—Yo no sé nada.
ASEL.—Tú sabes que él... es muy raro. (*Breve pausa.*)
Ten tú también paciencia. Y comprensión.
TOMÁS.—¡Está bien, está bien! Como quieras. (*Va a la
mesa, pone bruscamente los platos, vuelve a buscar más y
los lleva. MAX le ayuda a colocarlos.*) Gracias.

(TULIO *no soporta la visión de esa ayuda ni la
brusquedad con que* TOMÁS *le ha puesto delante un plato y se levanta para apoyarse en la*

*mesilla, que golpea con sus manos, de cara a
la librería.)*

MAX.—*(Procura distender la situación.)* ¿Qué coche
piensas comprar cuando te cases, Tomás?

(ASEL se sienta.)

TOMÁS.—No sé... Aconséjame tú. *(A* LINO.*)* O tú, inge-
niero. De eso sabrás bastante... ¿Cuál me recomiendas?
LINO.—No sé qué decirte. Yo soy ingeniero.
TOMÁS.—¡Pues por eso! ¿De qué marca es el tuyo?
LINO.—*(Ríe levemente.)* De... la mejor.
TOMÁS.—*(Coloca el último plato y ríe.)* ¡No lo dudo!
[¿Otro cigarrillo?
LINO.—*(Va a asentir; se arrepiente.)* No, gracias.

(Tamborilea.)

TOMÁS.—]*(Mira la mesa y se frota las manos.)* Ya está
todo. *(Se acerca a la cama y mira por el ventanal.)* ¡Qué
mañana más luminosa!

(A sus espaldas, se miran todos.)

LINO.—¡Y qué larga! Cinco horas ya, desde el desayuno.
[TOMÁS.—*(Se vuelve a medias.)* ¿Te saco unos taquitos
de jamón o de queso?
LINO.—Aguantaré. Ya queda poco.]

*(De bruces sobre la mesa, reclina la cabeza en
los brazos. Con la boca cerrada reanuda sus
curiosas modulaciones.)*

TULIO.—¡Maldita sea, huele cada vez peor!

TOMÁS.—*(A* ASEL.*)* ¡Ah!... Eso también está resuelto.

(Todos lo miran.)

MAX.—¿Resuelto?

TOMÁS.—*(Se adelanta, risueño.)* He avisado esta mañana.

(LINO *juguetea con el plato que tiene delante.*
TULIO *aprieta los puños.)*

ASEL.—*(Se levanta despacio.)* ¿A quién?

TOMÁS.—Al Encargado. Pasó a primera hora.

(LINO *se levanta y, sin abandonar su plato, va
a la puerta y atisba. Después se vuelve para
escuchar, dando nerviosos giros al plato.)*

ASEL.—*(Entretanto.)* Has dicho que sólo hubo una visita.

TOMÁS.—La de Berta. Pero el Encargado vino [mucho
antes.] Nada más salir vosotros.

MAX.—¿No te confundes con otro día?

TOMÁS.—¿Cómo me voy a confundir? Notó el olor, [en-
tró] y le expliqué lo que pasaba. Ha prometido llamar en
seguida al fontanero. (TULIO *se vuelve de espaldas y se
apoya de nuevo en la mesilla.)* [¿Contentos?]

ASEL.—[Por supuesto. ¿Habló de alguna otra cosa?

(Sin volverse, TULIO *se envara.)*

TOMÁS.—Sus gentilezas de siempre. Que si estábamos
satisfechos... Todo eso.]

ASEL.—*(Risueño.)* Algo más comentarías con él, novelista. A ti te gusta charlar.

TOMÁS.—*(Ríe.)* Le hablé de Berta, y de lo simpáticos que sois todos... *(Mira a* TULIO.) Todos. [Él también es muy cortés y agradable. Estoy seguro de que cumplirá su promesa.]

ASEL.—*(Después de un momento.)* ¿Habló también con el enfermo?

TOMÁS.—Me parece... que no. Dormía como ahora.

HOMBRE.—*(Sin moverse.)* No duermo. Os estoy escuchando. → silent listener

TOMÁS.—*(Lo mira. A* ASEL.) Bueno, entonces sí dormía. *(Todos le miran extrañamente.)* ¿A qué vienen esas caras? ¿Tampoco me creéis ahora? Preguntádselo cuando venga con el almuerzo.

ASEL.—No es necesario, Tomás.

MAX.—Nadie duda de tu palabra.

TOMÁS.—*(Pasea.)* Hoy sí que tardan... También yo empiezo a sentir apetito. *(Se enfrenta con* LINO.) Son estos aires, no cabe duda. Cuando nos vayamos de aquí todos habremos engordado. *(Ríe.)* Y a ti te vendrá bien... Eres fuerte, pero estás algo flaco.

> *(Entretanto,* ASEL *se acerca a* TULIO *y, a hurtadillas de* TOMÁS, *le dice algo con gesto afable y menea la cabeza con resignación.* TULIO *asiente.)*

ASEL.—Tampoco a ti te sobran kilos, Tomás.

TOMÁS.—*(Se vuelve hacia él.)* ¡Ni falta que me hacen!

ASEL.—Ven aquí, por favor. *(Se adelanta.* TOMÁS *se acerca.)* Estás pálido.

TOMÁS.—Siempre fui pálido.

ASEL.—*(Le mira la mucosa de un párpado.)* Sigues completamente anémico.

TOMÁS.—¡No es posible!

ASEL.—*(Sonríe.)* ¿Soy o no soy médico?

TOMÁS.—Lo eres, pero...

ASEL.—Debes sobrealimentarte, ya te lo dije. Hagamos una cosa. Aparte de todas las incursiones que quieras en el frigorífico, hoy te comes la ración del enfermo.

LINO.—*(Molesto.)* ¿Por qué?

ASEL.—Si hoy me corresponde a mí, puedo cederla a quien se me antoje, ¿no?

TULIO.—A quien la necesite. Y tú la necesitas, Asel.

ASEL.—No. Yo se la cedo a Tomás.

TOMÁS.—Ya lo has hecho otras veces... ¡Y yo puedo comer cuanto me venga en gana! ¡Y todos!

ASEL.—El apetito es mayor. *(Lo mira fijamente.)* Tú lo has dicho, son los aires... Confiesa que estás deseando hartarte un día. Y que ningún día lo consigues.

TOMÁS.—Es verdad. Y no lo comprendo.

ASEL.—Hoy te saciarás.

TOMÁS.—Asel, yo no debo aceptarlo.

ASEL.—No se hable más. *(Le pone una mano en el hombro.)* ¡Prescripción facultativa!

TOMÁS.—*(Baja la cabeza.)* Gracias.

(Silencio.)

TULIO.—Asel, si no digo algo, reviento.

ASEL.—Si no es un disparate...

(Se sienta y juguetea con su pipa.)

TULIO.—Eres el hombre más admirable que he conocido.

ASEL.—*(Risueño.)* Es un disparate. *(Breve pausa.)* También tú le diste ayer a Tomás algo de tu comida...

TULIO.—*(Rezonga.)* Porque me lo rogaste tú.

ASEL.—Tonterías. Lo hiciste de buena gana.

TULIO.—Que te crees tú eso.

(Silencio.)

HOMBRE.—Yo también tengo hambre. ¿Por qué me tenéis a dieta?

(Nadie acusa estas palabras. TOMÁS, muy perplejo, lanza una mirada al enfermo.)

TOMÁS.—También yo voy a reventar si no digo algo, Asel.

ASEL.—Pues dilo.

TOMÁS.—Como médico... no te entiendo.

ASEL.—Porque no eres médico.

TOMÁS.—¿No debería tomar algo el enfermo?

(Se miran, a hurtadillas de TOMÁS.)

ASEL.—Dieta absoluta.

HOMBRE.—¿Por qué?

TOMÁS.—¿Por qué?

ASEL.—Sería largo de explicar...

TOMÁS.—Ni siquiera bebe.

ASEL.—[Sí bebe.] Cada noche le doy el líquido que necesita.

TOMÁS.—*(Se acerca a él, turbado.)* Y durante el día..., ¿nada?

ASEL.—Nada.

TOMÁS.—Se morirá de sed.

ASEL.—No.

TOMÁS.—*(Tímido.)* ¿Le vas a reconocer hoy?

ASEL.—No hace falta. Se halla en una etapa estacionaria.

TOMÁS.—*(Caviloso.)* Supongo que sabes lo que haces.

ASEL.—No lo dudes.

TOMÁS.—Pero dime, Asel... *(Le oprime un hombro.)* Si nos sobran alimentos, ¿por qué recogemos [todos los días] su ración y nos la tomamos por turno?

(ASEL *titubea.*)

MAX.—¿Y por qué no?

LINO.—Tú has admitido que tenías hambre.

TOMÁS.—*(Pasea.)* Sí. Todos la tenemos. ¡Y no me lo explico!

MAX.—*(Risitas.)* Los aires.

(*Silencio,* TOMÁS *los mira uno a uno y recibe las inocentes miradas de todos. Después se acerca a la cama y se inclina sobre el* HOMBRE *acostado.*)

TOMÁS.—¿Te encuentras bien? ¿Quieres algo? *(No hay respuesta.* TOMÁS *se incorpora y se vuelve hacia* ASEL.*)* No le irá a pasar nada... ¿Verdad, Asel?

ASEL.—No.

TOMÁS.—*(Da unos pasos vacilantes. Se vuelve a mirar al paisaje.)* Es hermoso vivir aquí. Siempre habíamos soñado con un mundo como el que al fin tenemos.

(*Silencio.*)

MAX.—No le vuelvas a hablar del retrete al Encargado. Podría molestarse.

TULIO.—*(Seco.)* Es seguro que el Encargado no lo va a olvidar.

TOMÁS.—Descuidad. *(Va a la estantería.)* ¿Un poco de música?

ASEL.—Como quieras.

(TOMÁS *va a oprimir el botón.*)

MAX.—Espera. Creo que ya está aquí el almuerzo.

(Va hacia la puerta con un plato en la mano.)

LINO.—Sí. Ya lo traen.

(TULIO *toma un plato y cruza a su vez, poniéndose en fila detrás de* LINO *y* MAX. TOMÁS *se acerca a la mesa.)*

ASEL.—*(Cachazudo, se guarda su pipa, toma un plato y se levanta.)* Recoge tú el del enfermo.

TOMÁS.—Eso iba a hacer.

(Toma dos platos y se dirige a la puerta. ASEL *se coloca detrás de* TULIO. *Conducido por dos camareros correctamente vestidos de frac, llega por la izquierda del corredor un niquelado carrito de dos tablas, colmada la superior de fuentes con exquisitas viandas y la inferior de suculentos postres. Entre el carrito y la barandilla aparece, muy sonriente, el* ENCARGADO.)

ENCARGADO.—Buenos días, señores.

TODOS.—Buenos días.

> (*El* PRIMER CAMARERO *le tiende a* LINO *un cestito repleto de dorados panecillos, que* LINO *se apresura a trasladar a* MAX *y éste a* TULIO, *quien lo pasa a* ASEL, *el cual se aparta un instante de la fila y lo deja sobre la mesa.*)

ENCARGADO.—(*Entretanto.*) La carta de hoy es excelente y variada. (*Los* CAMAREROS *les sonríen.*) Tienen donde elegir. (*A* TOMÁS, *que se acerca con los dos platos.*) ¿Son para el enfermo?

TOMÁS.—Sí. ¿Qué me aconseja usted?

> (*Risita del* PRIMER CAMARERO.)

ENCARGADO.—¿Puede comer de todo?

TOMÁS.—De todo.

ENCARGADO.—(*Tenue risita.*) Entonces me permito recomendarle estos exquisitos entremeses, una terrina de foie-gras y solomillo con champiñones. (*Los* CAMAREROS *ahogan regocijadas risitas.* TOMÁS *tiende un plato y uno de ellos se lo va llenando.*) Y, de postre..., le recomiendo la tarta de manzana. Está exquisita.

TOMÁS.—Perfecto. Yo tomaré lo mismo.

ENCARGADO.—Mil gracias. (*El* SEGUNDO CAMARERO *le pide a* TOMÁS *el otro plato y se dispone a servirle.*) ¿Les molesta mucho ese olorcillo? (TOMÁS *mira a sus compañeros y vacila en responder.*) Perdonen que lo pregunte en ocasión tan inadecuada...

> *(A uno de los* Camareros *se le escapa una breve carcajada. El* Encargado *lo mira rápido, pero también sonríe.)*

Tulio.—*(Desde la fila.)* Apenas lo notamos.

Encargado.—*(Muy serio.)* No obstante, se arreglará lo antes posible... No lo duden.

> *(Las cortinas se corren durante breves momentos.)*

II

La misma claridad irisada en el aposento; al fondo, inmutable y radiante, el paisaje. La puerta sigue abierta. Aunque nada parece haber variado, pueden observarse tres cambios si se pone atención. De los cinco elegantes silloncitos, los dos situados hacia la izquierda de la mesa han desaparecido y los reemplazan dos de los tres bultos que antes se guardaban bajo la cama; más visibles ahora, se aprecia que cada uno de ellos consiste en una vieja colchoneta, delgada y estrecha, enrollada, y cuyos pliegues en espiral asoman por los bordes de la arpillera que la envuelve. El tercer cambio afecta a las ropas de la cama; ya no hay en ella sábanas ni colcha, sino una manta parduzca, y el cabezal gris carece de funda.

> *(El* Hombre *acostado permanece en la misma postura. De frente y sentado en el suelo, hacia el primer término de la izquierda,* Tulio *lee en su libro desportillado y se aplica a la nariz su pañuelo de vez en cuando. Sobre uno de los petates, de perfil y sentado a la izquierda de la*

mesa, LINO, *abstraído. De frente y sentado cerca del extremo derecho de la mesa, ante un gran libro de reproducciones en color,* TOMÁS *lo comenta para* ASEL *y* MAX, *de pie a sus lados. Unos segundos de silencio.)*

TOMÁS.—No se cansa uno de mirar.

MAX.—¿Y es un cuadro pequeño?

TOMÁS.—No tendrá más de un metro de ancho.

MAX.—Parece mentira.

(TULIO *gruñe, despectivo, sin levantar la vista.)*

TOMÁS.—Fijaos en la lámpara dorada. ¡Qué calidades! ¡Y con qué limpieza destaca del mapa del fondo!

TULIO.—*(Sin dejar de leer.)* El mapa del fondo, con sus arrugas viejas...

(Los otros tres se miran.)

TOMÁS.– Exacto. Como un hule que se hubiera resquebrajado. *(Señala.)* ¿Las veis? Debe de ser muy difícil pintar esos efectos. Pero Terborch era un maestro.

TULIO.—Terborch era un maestro, pero ese cuadro no es de Terborch.

ASEL.—Tulio, ¿por qué no vienes a la mesa y lo ves con nosotros? ¿Qué necesidad tienes de sentarte en el suelo?

TULIO.—*(Seco.)* Por variar.

TOMÁS.—*(Se ha inclinado para leer en el libro.)* Aquí pone Gerard Terborch.

TULIO.—Un pintor está sentado y de espaldas, copiando a una muchacha coronada de laurel y con una trompeta. ¿Es ése?

TOMÁS.—¡El mismo!

TULIO.—*(Suspira.)* Lo siento, pero no puedo dejar de intervenir. Ese cuadro es de Vermeer.

TOMÁS.—¡Si aquí dice...!

TULIO.—¡Qué va a decir!

TOMÁS.—*(Se inclina, vehemente.)* Dice... *(Se endereza, desconcertado.)* Vermeer. ¿Cómo he podido leer Terborch?

[ASEL.—*(Ríe.)* Todos estos holandeses son indiscernibles. La ventana, la cortina, la copa de vino, el mapa...]

MAX.—Ha sido una confusión mental.

TOMÁS.—*(Incrédulo.)* ¿De los nombres? Además, yo sabía que este cuadro era de Vermeer... [Vermeer de Delft.] *(Se inclina.)* Aquí lo dice. ¡Gracias, Tulio! (TULIO *lo mira de reojo y no responde.)* ¿No quieres venir a ver? Es evidente que te gusta la pintura.

TULIO.—No tengo ganas de levantarme.

TOMÁS.—*(Afectuoso.)* Ni de ver libros... Tienes aquí las más bellas obras creadas por los hombres. Y nunca las miras.

ASEL.—*(Suave.)* A cada uno hay que dejarle ser como es.

TOMÁS.—¡Pero es absurdo que se pase las horas con la nariz metida en ese libraco viejo! ¡Un manual de ebanistería! ¿A quién se le ocurre? *(Señala a la estantería.)* Podría distraerse con las mejores novelas... *(A* TULIO.) ¿Quieres que te elija una?

(TULIO *lo mira fríamente.)*

MAX.—Vamos a seguir viendo cuadros.

TOMÁS.—*(Perplejo ante el silencio de* TULIO.) Sí... Sí. *(Mira al libro.)* Vermeer... *(Se entusiasma de nuevo.)* Por cierto, hay algo muy curioso en esta pintura. Esta lámpara [holandesa] es casi idéntica a la de otra tabla [famosa y] muy anterior. *(Busca en el libro.)* Una tablita de Van Eyck... El retrato de un matrimonio.

TULIO.—*(Entre dientes.)* Arnolfini.

MAX.—No es italiano, Tulio. Es flamenco.

TULIO.—*(Fastidiado.)* *¡Arnolfini y su esposa!* Está en la Galería Nacional de Londres. Pero me callo, me callo.

(Se engolfa, al parecer, en su libro.)

TOMÁS.—Sí, es ése. Y aquí lo tenemos. ¡Mirad! *(Compara una y otra página.)* [Se diría la misma lámpara.

MAX.—¿Y si fuera la misma?

TOMÁS.—¿A tres siglos de distancia? No.] Vermeer copió la de Van Eyck... o coincidió misteriosamente, pues es muy improbable que conociese este cuadro.

TULIO.—¡Cuánta imaginación! Esas dos lámparas se parecen como tú y yo.

TOMÁS.—¡Son casi iguales! Míralas.

TULIO.—No me hace falta. En la de Vermeer, brazos delgados, cuerpo esférico; en la del flamenco, brazos anchos y calados, cuerpo cilíndrico...

TOMÁS.—Pequeñas diferencias...

TULIO.—Y una gran águila de metal corona la de Vermeer. ¿O me equivoco?

(Silencio.)

TOMÁS.—Creo que... no.

TULIO.—Por consiguiente, ninguna coincidencia misteriosa.

ASEL.—Tu memoria es admirable, Tulio.

(TULIO se encoge de hombros.)

TOMÁS.—Y yo lo reconozco de buen grado. Es natural: un fotógrafo tan bueno tenía que saber mucho de pintura. ¿Cómo se llama esa técnica que quieres perfeccionar?

TULIO.—*(Deja a un lado el libro. No los mira.)* Holografía. *(Suspira.)* Sí... Imágenes que deambulan entre nosotros... De bulto... Y no son más que proyecciones en el aire: hologramas.

MAX.—¿No han descubierto ya eso?

TULIO.—Y se puede mejorar. Es un campo inmenso. *(Breve pausa.)* Yo... lo investigaba, sí. Con otra persona. Yo quería... *(Oculta la cara entre las manos.)* ¡Dios mío! Yo quería.

ASEL.—*(Se acerca a él.)* Y lo conseguirás, Tulio... No desesperes.

[TOMÁS.—*(Conmovido.)* Has venido a la Fundación para eso...

ASEL.—Se comprende que te amilanen las dificultades...]

TOMÁS.—[Pero] ya verás cuando te pongas a trabajar. ¡Aquí haremos todos grandes cosas! Max resolverá el problema de los N cuerpos, Lino inventará sus pretensados, Asel sistematizará toda la Acupuntura...

ASEL.—Yo no te he hablado de Acupuntura.

TOMÁS.—Ésa es tu investigación, alguien me la ha dicho. Las microcorrientes de la piel, en relación con las enfermedades...

ASEL.—*(Sonríe.)* Si tú lo dices...

TOMÁS.—Y Tulio llenará el mundo de imágenes inesperadas, y yo... escribiré mi novela.

[MAX.—Que será, en cambio, muy esperada.

TOMÁS.—*(Modesto.)* No, yo estoy empezando.] Ven a la mesa, Tulio. Comenta tú los cuadros. *(Pasa hojas.)* Mira.

Botticelli... El Greco... Rembrandt... Velázquez... Goya... Chardin... ¿No quieres?

(Silencio.)

ASEL.—Sigue tú.

(Se sienta a la mesa.)

TOMÁS.—*(Dolido.)* Algo pasa.
MAX.—¡Sigue!
TOMÁS.—Watteau... Turner... *(Se detiene.)* ¡Turner! Es como un diamante de luz. *(Se vuelve hacia el ventanal.)* Casi tan espléndido como ese paisaje. Otro arco iris de nubes, de rocas, de frescas aguas, de radiantes palacios... *(Nervioso, se está buscando desde hace rato en los bolsillos. Breve silencio.)* ¿Dónde he dejado mi tabaco? Metí la cajetilla en este bolsillo. Y no está. (TULIO *descubre su rostro. Todos miran a* TOMÁS.) [Y estoy seguro, ¡seguro!, de no haberla vuelto a sacar desde que la guardé.]
ASEL.—*(Lo mira fijamente.)* [¿También] estás seguro de habértela guardado?
TOMÁS.—¿Eh?...
MAX.—*(Ríe.)* ¿No será una cajetilla holográfica?
TOMÁS.—No bromees.
MAX.—Te la habrás dejado en cualquier rincón.
TOMÁS.—¡No la he sacado! Y no puede haberse esfumado.
ASEL.—*(Le clava los ojos.)* Entonces, piensa.
TOMÁS.—*(Sonríe sin gana.)* ¿Es un acertijo?
ASEL.—Tal vez.
TOMÁS.—La habéis escondido vosotros.
ASEL.—Te juro que nadie ha tocado esa cajetilla.

TOMÁS.—*(Lleno de suspicacia.)* No puede ser...

ASEL.—*(Con intención.)* Y sin embargo, es.

MAX.—No te preocupes. Ya reaparecerá.

TOMÁS.—*(Caviloso.)* Eso espero... *(Pasa hojas.)* Monet... Van Gogh... Eso espero... *(Enmudece.* ASEL *lo mira, muy atento.)* No conozco a este pintor. ¿Os gusta?

ASEL.—¿Y a ti?

TOMÁS.—Dibujo sólido, pero flojo de tonos... (TULIO *atiende.)* Será un animalista del siglo XIX.

MAX.—¿Un animalista?

TOMÁS.—Ya lo ves. Ratones en una jaula. Un tema sórdido. *(Durante estas palabras aparece* BERTA *en la puerta, sonriente y sigilosa.)* Hay algo repelente en [las expresiones de] estos animales. *(Sin que nadie repare en ella,* BERTA *avanza unos pasos.* TOMÁS *se inclina sobre el libro.)* Tom Murray. No sé quién es.

> *(Ensimismado,* LINO *modula sus gorjeos con la boca cerrada.)*

ASEL.—¿Lo conoces, Tulio?

TULIO.—No.

> *(*TOMÁS *se está incorporando lentamente. Sin volverse, parece intuir la presencia de ella a sus espaldas.)*

ASEL.—¿Y qué hacen esos pobres ratones?

> *(*BERTA *frunce las cejas y retrocede en silencio.)*

TOMÁS.—*(Absorto.)* ¿Qué hacen?...

ASEL.—Algo hacen o algo esperan. ¿No? *(De nuevo en el corredor,* BERTA *los mira a todos con grave expresión y desaparece por la derecha.* TOMÁS *se levanta y se vuelve de pronto. Va a la puerta, se asoma y mira a ambos lados. Se vuelve, pensativo.)* ¿Qué te sucede?

TOMÁS.—Nada.

> *(Una pausa, en la que sólo se oyen las modulaciones de* LINO. *De repente, cesan éstas.* TOMÁS *mira a todos con recelo; después, al* HOMBRE *acostado e inmóvil. Hay alarma y duda en sus ojos.)*

LINO.—¿Cuánto faltará para la cena?

ASEL.—Unas cuatro horas.

LINO.—*(Respira tapándose boca y nariz. Se levanta y se acerca al primer término, aspirando con ansia.)* Ya no se puede respirar.

ASEL.—Pronto acabará todo.

LINO.—¿Y será mejor?

ASEL.—Ya veremos.

TOMÁS.—*(Inseguro.)* El depósito lo arreglarán en seguida... (A LINO.) Si tampoco respiras en esa ventana, vente a la puerta. El aroma del campo llega hasta aquí.

LINO.—¡Qué va a llegar!

TOMÁS.—*(Murmura.)* A veces es difícil contentaros.

> *(Cruza para volver a la mesa. Se detiene, reparando en el petate que* LINO *ha abandonado.)*

ASEL.—*(Se levanta y se acerca a* LINO.) Todavía un poco de calma, Lino. Tú sabes que es necesario.

> *(*TOMÁS *lo escucha y vuelve a mirar el petate. Sigue su camino y se detiene ante el libro. Inquisitivo, mira a* MAX.)*

MAX.—No nos has dicho qué representan esos ratoncitos.

TOMÁS.—*(Seco.)* No más pintura por hoy. Ya veo que os aburro.

ASEL.—¡No, no!

> (TOMÁS *cierra el libro y lo devuelve a la estantería.)*

MAX.—¡Al contrario!...

TOMÁS.—*(Terminante.)* Sí. *(Repasa lomos de libros, se decide a sacar otro.* MAX *chasquea la lengua y deniega.)* ¿Qué?

MAX.—*(Risueño.)* Si la devoción terminó, comienza la obligación.

TOMÁS.—¿De qué hablas?

MAX.—Adivina adivinanza. ¿Quién es el remolón que está hoy de limpieza?

TOMÁS.—*(Gesto de contrariedad.)* Perdón. Ahora mismo saco la basura.

> (*Cruza y se detiene junto a uno de los silloncitos, cuyo respaldo acaricia. Después, junto a los dos petates, que considera con disimulo.* ASEL *lo observa con vivo interés.* TOMÁS *se inclina y toca la arpillera del de la izquierda.)*

ASEL.—¿Qué miras?

TOMÁS.—*(Se incorpora rápidamente.)* Nada.

> (*Va al fondo y desaparece por unos segundos tras la cortina, para reaparecer, muy extrañado, mirando la escoba que trae. No es la*

*que usó por la mañana, sino un escobajo viejo
y sucio de mango muy corto. Mira a sus compañeros. Titubea.)*

ASEL.—¿Te pasa algo?

TOMÁS.—No... Sólo quisiera saber... *(Baja la voz.)* No
comprendo.

ASEL.—¿Qué es lo que no comprendes?

[TOMÁS.—Desde que volvisteis del paseo nadie ha entrado ni salido.

ASEL.—El Encargado.]

TOMÁS.—*(Ríe de pronto.)* ¿A qué vienen todas estas
bromas?

MAX.—*(Risueño.)* ¿Qué bromas?

TOMÁS.—*(Riendo.)* No disimuléis, no soy tonto. Estáis
cambiando cosas, o escondiéndolas. [*starting to question reality*]

ASEL.—¿Dónde?

TOMÁS.—*(Serio.)* ¿Me lo vais a negar?

ASEL.—Yo, al menos, no bromeo.

(Se miran fijamente.)

TOMÁS.—*(Sombrío.)* Dejémoslo. *(Considera de nuevo
la escoba que tiene en la mano. Se inclina y barre hacia
fuera el montoncillo de basura, que deja en el corredor a la
derecha de la puerta. Al incorporarse mira hacia la izquierda.)* Ya vienen recogiendo. Por poco me descuido.
*(Entra, al tiempo que llegan por la izquierda del corredor y
cruzan los dos* CAMAREROS, *portando un cajón oscuro con
asas. Ya no llevan el frac, sino largos mandiles sobre sus
camisas grises y sus pantalones viejos. Depositan el cajón
a la derecha de la puerta y el* SEGUNDO CAMARERO, *único
visible ahora, saca de él una escobilla y un cogedor. Re-*

coge la basura, la vuelca en el cajón y vuelve a meter en él sus adminículos. Levanta el cajón —se supone que el otro camarero lo hace al mismo tiempo— y se va por la derecha. TOMÁS *va a mirar, pero retrocede: la puerta se está entornando lentamente, empujada por el sonriente* ENCARGADO, *quien esboza una obsequiosa inclinación y cierra con suavidad. La superficie de la puerta es de clara madera finamente barnizada; a su derecha tiene un pomo dorado y, en el centro, una mirilla.* TOMÁS *se sobresalta.*) ¿Por qué ha cerrado sin pedir permiso?

MAX.—Te ha sonreído. Él todo lo arregla con sonrisas.

> (*Caviloso,* TOMÁS *deja la escoba tras la cortina.*)

TOMÁS.—(*Molesto.*) Pero, ¿por qué ha cerrado?

LINO.—(*Fastidiado.*) ¡Lo hacen todas las tardes!

TOMÁS.—¿Todas las tardes?

TULIO.—(*Se levanta y va a la mesa para dejar su libro.*) Si tanto te molesta, abre.

ASEL.—Tulio, no le hables así.

TULIO.—¿Por qué no? (*A* TOMÁS.) Abre y llámale la atención para que no lo vuelva a hacer.

ASEL.—¿Estás loco, Tulio?

TULIO.—¡Tú eres el loco! ¿A qué nos conduce todo esto?

MAX.—Va a haber que llevarte a la enfermería, Tulio.

LINO.—¡No, a Tulio, no! (*Señala a* TOMÁS, *quien los mira angustiado.*) ¡A él!

ASEL.—Tú, cállate.

LINO.—¡Bien callado me estoy siempre! Pero ya es hora de terminar. ¡Él, a la enfermería, y nosotros, a donde sea!

ASEL.—¿Y si hablan con él?

TULIO.—(*Se sienta en el borde de la mesa.*) ¡Abre, Tomás!

ASEL.—*(Deniega con vehemencia.)* ¡Por favor!

TULIO.—¡Abre, muchacho! (ASEL *se aparta, consternado.)* ¿Qué más te da, Asel? Terminar está dentro de tu plan.

ASEL.—Si pudieras callarte...

MAX.—*(Ríe.)* ¡Ah! ¿Conque hay un plan? Ya me informaréis...

ASEL.—No le hagas caso. Pero, ¡si pudierais tener todos un poco más de comprensión!... [Ya sé que no es fácil. Una vez más os ruego que confiéis en mí.] Sin provocar palabras innecesarias... [Ya estoy hablando demasiado.] Respirad, calmaos, pensad... Y después, ¡por favor!, sigamos.

> (MAX *lo mira con curiosidad.* LINO *suspira y se sienta en un sillón.* TULIO *humilla la cabeza. Silencio.)*

TOMÁS.—*(Lleno de recelo.)* ¿De qué... habláis?

TULIO.—*(Para sí.)* Es la convivencia... A todos nos saca de nuestras casillas...

TOMÁS.—*(Con la mano en el pomo de la puerta.)* ¿Abro, Asel?

> (ASEL *vacila.)*

TULIO.—Eso no va a estropear nada... [Dile que abra.] *(Corta pausa.)* Abre, novelista.

TOMÁS.—*(Lo piensa. Tembloroso.)* No me atrevo... [¿Por qué no me atrevo?] ¿Qué estáis haciendo conmigo?

TULIO.—Nada, muchacho. Nada que te perjudique. *(Se levanta.)* ¡Ea, procuremos distraernos! [La cosa no tiene importancia, Tomás. De verdad.] Charlemos, juguemos a algo... ¿A qué podríamos jugar?

MAX.—*(Risitas.)* A hacer fotos.

ASEL.—*(Estupefacto.)* ¿Ahora?

TULIO.—¿Y por qué no? Es una buena idea. ¿Las hago, Tomás? Cuando las revele se las podrás regalar a tus padres.

ASEL.—*(Severo.)* Ni lo de antes, ni lo de ahora, Tulio.

TOMÁS.—*(Alegre.)* ¡Sí, Asel! Tulio quiere demostrarme su buena voluntad y yo se lo agradezco de corazón. Se las regalaré a Berta. A mis padres, no, claro... Ya no los tengo. ¡Dispón tu máquina, Tulio! *(Avanza.)* Y vosotros, agrupaos! [¿Despierto al enfermo?

MAX.—Déjale dormir.

TOMÁS.—Entonces,] alrededor de la mesa. ¡Vamos, colocaos! *(Lo van haciendo.)* ¿Tienes bastante luz?

TULIO.—Seguro.

TOMÁS.—*(Cruza.)* De todos modos encenderé la lámpara. Es muy potente.

LINO.—*(Con sarcasmo y para sí.)* La <u>lámpara</u>.

(TOMÁS *oprime el interruptor de la gran lámpara de la derecha, que no se enciende. Prueba de nuevo, sin resultado.)*

ASEL.—*(A media voz.)* Yo no lo haría, Tulio.

TULIO.—*(A media voz.)* Déjame darle una satisfacción.

TOMÁS.—<u>No se enciend</u>e.

(ASEL *lo mira, atento.)*

TULIO.—Da lo mismo. No hace falta.

MAX.—Se habrá cortado la corriente.

TOMÁS.—¿Tú crees? Probaré con el televisor. *(Oprime un botón.)* ¡O con la música! ¿Ponemos un poco de música?

ASEL.—Si te apetece...

(TOMÁS *pulsa otro botón y aguarda unos segundos.*)

TOMÁS.—Qué raro. Tampoco funciona.

ASEL.—*(A los demás.)* Lo cual... ¡es muy interesante!

TOMÁS.—Y el televisor no se enciende... Voy a dejar
todo conectado para ver cuánto dura. *(A* TULIO.*)* ¿Has preparado ya tu máquina? *(Ríe.)* ¡Ésa no fallará!

TULIO.—Ahora mismo.

> (*Va a la taquilla y saca de ella un tosco vaso
> de aluminio, al tiempo que* TOMÁS *busca
> sitio.*)

TOMÁS.—*(Se sienta.)* Yo aquí.

MAX.—¡Atención! ¡Sonrisa aristocrática! ¡Todos mirando al pajarito!

TULIO.—Un momento. *(Simula preparar su aparato.)* Ya
está. *(Se vuelve hacia ellos y finge enfocarlos con el vaso.*
ASEL *no disimula su inquietud.)* ¡Atentos! *(Da un golpecito
sobre el vaso con la uña.)* ¿Otra?

TOMÁS.—*(Se levanta, descompuesto.)* No. Ni ésa tampoco.

TULIO.—¡Si ya está hecha!

TOMÁS.—¡Apelo a todos vosotros! ¡Porque ahora se ha
reído de todos, no sólo de mí!

ASEL.—*(A media voz.)* Me lo esperaba.

TULIO.—Yo quería...

TOMÁS.—¡Burlarte una vez más!

TULIO.—¡Asel, yo quería complacerle!

(ASEL *suspira.*)

TOMÁS.—*(Se abalanza y le arrebata el vaso.)* ¿Con esto? *(Lo enseña.)* ¡Decidme todos si es locura o mala intención! ¡Porque empiezo a creer lo segundo!

TULIO.—*(Desalentado.)* Nunca acierto.

(ASEL *saca su vieja pipa y la acaricia.*)

TOMÁS.—*(A* TULIO.*)* ¿Quién te has creído que eres, imbécil?

ASEL.—¿Qué tienes en la mano, Tomás?

TOMÁS.—¡Un vaso de aluminio!

ASEL.—*(A todos.)* Reconocedlo. Las reacciones se vuelven prometedoras.

TOMÁS.—¡No entiendo tu jerga! *(Agarra a* TULIO *por la camisa.)* ¡Y tú, indecente payaso, chiflado de mierda, vete! ¡Vete a otra habitación!

(*Todos se aproximan.*)

TULIO.—*(Se lo sacude.)* ¡Vete tú y déjanos tranquilos!

TOMÁS.—¡Te voy a...!

(*Quiere agredirle. Se interponen todos, los sujetan.*)

ASEL.—¡No, Tomás!

LINO.—*(A* TOMÁS.*)* ¡Déjalo! ¡Eres tú el culpable!

TOMÁS.—¡Calla, ingeniero!

(*Forcejean.* TOMÁS *se abalanza de nuevo contra* TULIO, *que lo repele. Los demás lo sujetan.*)

ASEL.—*(Muy fuerte.)* ¡Dejadme hablar a mí! ¡Escuchadme todos! ¡Por favor!... Te lo ruego, Tomás...

(Se calman poco a poco.)

LINO.—*(Va a sentarse.)* Que se vaya. Que termine esto de una vez.

ASEL.—Terminará pronto para todos. ¡Y también para él está terminando! ¿No os dais cuenta? Un poco de tacto aún, os lo suplico.

LINO.—¿Para qué? Si también para él está terminando todo, déjale tranquilo. Eso saldrá ganando.

ASEL.—¡No! ¡Os aseguro que no conviene! (TULIO *cruza, sombrío. Atrapa su viejo libro y va a sentarse lo más lejos que puede.)* Tomás, explícame, si puedes, de dónde ha salido ese vaso.

MAX.—De la alacena.

ASEL.—¿Quieres dejarle hablar a él?

MAX.—*(Irónico.)* A tus órdenes, jefe.

TOMÁS —Lo ha sacado Tulio de la taquilla.

ASEL. ¿Y estaba allí? (TOMÁS *no responde.)* [¿Lo viste antes allí?]

TOMÁS.—Eso me estoy preguntando... *(Va a la taquilla, saca un fino vaso de cristal, compara los dos.)* Porque aquí sólo había copas y vasos de cristal, como éste.

LINO.—Malo.

ASEL.—*(Sonríe.)* No. No del todo mal. ¿De dónde habrá salido ese vaso, Tomás?

TOMÁS.—Este vaso... y otras cosas.

ASEL.—¿No puedes responder?

TOMÁS.—Tendréis que responder vosotros.

ASEL.—Devuelve los dos vasos a su sitio, por favor.

(TOMÁS *lo hace con un brusco ademán y se encara con él.*)

TOMÁS.—¡Acláralo tú!

ASEL.—No te separes todavía de la taquilla. Si su máquina sigue ahí, Tulio hará la foto.

TULIO.—¿Qué dices?

ASEL.—*(Fuerte.)* ¡Si tu máquina está ahí, harás la foto! *(A* TOMÁS.) Pero, ¿está ahí?

TOMÁS.—Siempre ha estado ahí...

ASEL.—Entonces tráela.

TOMÁS.—*(Busca y rebusca en la taquilla. Se vuelve.)* ¡No está!

ASEL.—¡Qué curioso! Que yo sepa, nadie la ha escondido.

TOMÁS.—Pero también ha desaparecido.

ASEL.—Y en su lugar, un inesperado vaso de metal.

(*Silencio.* TOMÁS *mira a todos y piensa intensamente.*)

TOMÁS.—Max, esta mañana tú no escanciaste tu bebida.

MAX.—Te aseguro que...

TOMÁS.—¡Te aseguro que la sacaste de aquí ya servida! La escoba que teníamos se ha transformado en una escoba vieja. De pronto [se va la luz eléctrica:] ni el televisor ni el altavoz funcionan...

MAX.—Una avería corriente.

TOMÁS.—Dos de los silloncitos han desaparecido.

ASEL.—*(Muy interesado.)* ¿Ah, sí?

TOMÁS.—Sí. Y en su lugar, dos petates. *(Se miran los demás.)* Y ahora, un vaso roñoso en lugar de una máquina.

MAX.—*(Risita.)* ¡Lo que digo! Van a ser hologramas.

ASEL.—¡Nada de hologramas! *(A* TOMÁS.) No hay dispositivos aquí, no hay proyectores de rayos láser. *(A los otros.)* No hay sino... un poco más de alimento. Apenas me atrevía a creer en el resultado, y lo está dando. Con una rapidez que me asombra, pero que me llena de alegría.

TOMÁS.—¡No, por favor! Ya estoy harto de crucigramas. Tus palabras me confirman que vosotros sabéis algo que yo ignoro. ¡Porque todas estas cosas extrañísimas que aquí pasan me sorprenden a mí, no a vosotros! Y exijo que me las expliquéis.

TULIO.—¿Por qué no hablar, Asel?

ASEL.—Os lo he dicho muchas veces. Sería peligroso.

LINO.—¿Para quién?

ASEL.—Para él, aunque él no os importe. Pero también para nosotros.

LINO.—*(Después de un momento.)* Tú no eres médico.

TOMÁS.—*(Atónito.)* ¿Que no eres...?

ASEL.—*(A* LINO.) Cuida lo que dices.

LINO.—¡No eres médico! Y no sabes lo que conviene o lo que no conviene.

ASEL.—Muchacho, yo sé, por desgracia, bastantes más cosas de la vida que tú.

TOMÁS.—¿Es cierto, Asel? ¿No eres médico?

ASEL.—¿Tú qué crees?

TOMÁS.—Quisiera creer que lo eres... *(Baja la voz.)* Pero... si no lo eres..., ¿qué estamos haciendo con ese pobre hombre? *(Señala al* HOMBRE *acostado y se inmuta de repente al ver las ropas de la cama.)* ¡Ah, no! ¡Es demasiado! ¿Qué habéis hecho con las sábanas, con la colcha?

TULIO.—¡Nadie ha hecho nada!

TOMÁS.—¡Sólo queda una manta y una almohada mugrienta!

ASEL.—*(A todos.)* ¡Están llegando los momentos más difíciles! Ni una palabra de más, y ni una de menos. Si me ayudáis, espero que acertemos a conducir bien el caso.

(MAX *mira a los otros dos y asiente.* TULIO *y* LINO *desvían la vista.)*

TOMÁS.—¡No entiendo nada!

ASEL.—¿Estás seguro? *(Silencio. Demudado,* TOMÁS *no sabe qué contestar.* ASEL *se le acerca y le pasa un brazo por los hombros. Los demás no los pierden de vista.)* Ven conmigo.

(Lo lleva hacia el lecho.)

TOMÁS.—¿Vas... a reconocerlo?

ASEL.—No hace falta. *(Muy turbado,* TOMÁS *toca la manta levemente.)* Déjale tranquilo. *(Apunta con el índice por encima de la cama.)* Y dime qué ves ahí.

(TOMÁS *lo mira, sin comprender.)*

[TOMÁS.—¿Tras el ventanal?

ASEL.—*(Después de cambiar una mirada con los otros.)* Tras el ventanal.]

TOMÁS.—El... paisaje.

ASEL.—*(Se mete la pipa en la boca y va a sentarse.)* Como un Turner. Eso has dicho.

TOMÁS.—Pero... más bello. Porque es real. *(Se vuelve hacia el paisaje.)* ¡Verdadero! *(A* ASEL.) ¿No es así?

ASEL.—Continúa.

TOMÁS.—Sobran las palabras... Basta con verlo... Es nuestra más espléndida evidencia.

HOMBRE.—*(Sin moverse.)* Me han quitado las ropas de la cama. Tengo frío.

TOMÁS.—*(Turbado.)* Una deslumbradora evidencia. El mundo es ya un vergel... Los hombres lo han logrado al fin, amasando agonías, lágrimas...

ASEL.—*(Muy suave.)* Que aún existen...

TOMÁS.—¿Eh?

ASEL.—[Aún existen.] Y en abundancia. ¿O no?

TOMÁS.—*(Vacila.)* Todavía, sí. Pero...

HOMBRE.—Tengo hambre.

TOMÁS.—*(A* ASEL.*)* ... Pero tú también lo sabes: esto que vemos era el futuro que soñábamos...

HOMBRE.—¡Dadme agua!

TOMÁS.—*(Señala al paisaje.)* ¡Y ya es nuestro!

HOMBRE.—*(Eleva la voz.)* ¿Por qué no me dan de comer y de beber?

TOMÁS.—La Fundación edifica y edifica... Veo desde aquí a sus gentes... Ríen bajo el sol de la mañana.

HOMBRE.—*(Más fuerte.)* ¡Dile a Asel que me dé de comer!

TOMÁS.—*(Nervioso.)* ¿Lo oyes, Asel?

ASEL.—¿Ríen bajo el sol?

TOMÁS.—Sí.

ASEL.—[¿Seguro?] ¿No adviertes tristeza en algunas caras?

TOMÁS.—Están lejos...

HOMBRE.—¿Por qué os coméis mi ración?

TOMÁS.—[¡Contesta,] Asel! ¡Si no respondes a esa pregunta, la pesadilla de los antropoides aún no ha terminado!

ASEL.—¿Quién pregunta? ¿Ese hombre?

HOMBRE.—*(Muy fuerte.)* ¡Ésta es la pesadilla de los antropoides!

TOMÁS.—*(Muy nervioso, señala al paisaje.)* ¡No! ¡Los hombres empiezan a ser humanos! ¡No lo impidas tú, Asel! ¡Y contesta!

HOMBRE.—*(Grita.)* ¡Fieras! ¡Hipócritas!

TOMÁS.—¡Asel, dale de comer!

ASEL.—No lo necesita. Has hablado [antes] del sol de la mañana. ¿Sabes qué hora es?

HOMBRE.—¡Me devoráis, me matáis!

TOMÁS.—¡Asel, por piedad!

ASEL.—Al menos, sabes que estamos en la tarde, no en la mañana. ¿Desde qué lado ilumina el sol ese paisaje?

TOMÁS.—Desde éste...

ASEL.—¿Y esta mañana?

TOMÁS.—*(Desconcertado.)* Desde... el mismo.

[ASEL.—¿No te parece muy raro?

TOMÁS.—*(Vuelve a mirar el paisaje.)* Tal vez ha variado un poco...]

ASEL.—[¿Lo notas? (TOMÁS *desvía la vista.*)] ¿No te parece raro que no adviertas la menor diferencia? ¿O la adviertes?

HOMBRE.—Cantad y bailad de alegría... Os doy la más grata noticia... Me muero.

TOMÁS.—*(Lo señala.)* ¡Asel, se muere!

ASEL.—No.

HOMBRE.—*(Grita.)* ¡Asesinos!

TOMÁS.—¡Asesinos! ¡Lo estamos matando entre todos!

> *(Se abalanza hacia* ASEL, *que se levanta. Los demás se acercan, muy tensos.)*

HOMBRE.—¡No puedo más!

TOMÁS.—*(Se lleva los puños a la cabeza, lanza un alarido.)* ¡Asesinos!

LINO.—¡No grites!

ASEL.—*(Sujetándolo.)* ¡Serenidad, Tomás! ¡No es más que una crisis!

HOMBRE.—¡Agua!

TOMÁS.—¡Dadle agua!

HOMBRE.—¡Me muero...!

TOMÁS.—*(Elude a* ASEL, *que intenta retenerlo; sacude por los hombros al* HOMBRE.*)* ¡Yo te daré agua!

HOMBRE.—... ¡Como una rata hambrienta!

TOMÁS.—*(Grita.)* ¡No lo soporto!

TULIO.—¡Cállate, van a acudir!

> (TOMÁS *corre hacia la cortina.* ASEL *lo retiene.)*

ASEL.—¡Quieto!

TOMÁS.—¡Suelta! *(Forcejean.)* ¡Ahora mismo le doy de beber!

> *(Intentan reducirlo entre todos.)*

LINO.—¡Cierra la boca!

ASEL.—¡Silencio! ¡Callad todos!

HOMBRE.—*(Voz muy débil.)* Ya es... tarde.

> (TOMÁS *se debate. Ayudado por* ASEL, LINO *lo sujeta con mano de hierro.)*

ASEL.—¿No lo oís? Están ante la puerta.

> (TOMÁS *se desprende. Inmóviles, todos miran a la puerta. Unos segundos de absoluto silencio. De pronto se oye un seco ruido metálico y*

*la puerta se abre muy rápida hacia la iz-
quierda. La luz del interior cambia instantá-
neamente. A las feéricas tonalidades irisadas
que lo iluminaban las sustituye una claridad
gris y tristona. El* ENCARGADO *y su* AYU-
DANTE *irrumpen; el* AYUDANTE *permanece en
la bocina de la puerta, con una mano sospe-
chosamente oculta en el bolsillo de la chaqueta. El* ENCARGADO *mira a todos, corre al
lecho y destapa bruscamente al* HOMBRE
*acostado, que aparece con pobres y gastadas
ropas interiores; zarandea un poco el cuerpo
y se vuelve.)*

ENCARGADO.—¿Cuántos días lleva muerto este hombre?

*(La iluminación cambia de golpe: gana clari-
dad y crudeza. Sólo en los rincones —el chaflán, la lámpara— se mantiene una borrosa
penumbra grisácea.)*

TOMÁS.—¿Muerto?... ¡Si acaba de hablar!
ENCARGADO.—¡Usted cállese! *(A los demás.)* ¡Con-
testen!
ASEL.—Seis días.
TOMÁS.—*(Musita.)* No es posible.
ENCARGADO.—¿Por qué se lo callaron? *(Silencio. En el
rostro del* ENCARGADO *se dibuja una maligna sonrisa.)*
Querían aprovechar su ración, ¿eh? *(Silencio. Se dirige a la
puerta.)* ¡Sacad de aquí esta carroña! *(Los* CAMAREROS,
*vestidos ahora con blancas batas de enfermeros, aparecen
con una camilla que depositan ante la puerta. Sin disimular su repugnancia entran, toman el rígido cuerpo que yace*

en el lecho, lo sacan al corredor, lo tienden sobre la cami-
lla y se lo llevan.) Sus efectos personales. *(Al* AYUDANTE.*)*
Y usted, recoja el petate. (MAX *se apresura a descolgar*
uno de los talegos de la percha. El ENCARGADO *lo toma. El*
AYUDANTE *pone el cabezal y la manta sobre la colchoneta,*
lo enrolla todo, se lo carga al hombro y sale al corredor.)
Plato, vaso y cuchara. (TULIO *se acerca a la taquilla y, ante*
la sorpresa de TOMÁS, *saca un plato, un vaso y una cu-*
chara de tosco metal, que entrega al ENCARGADO. *Éste se-*
ñala al frente.) ¡Mantengan la ventana abierta! *(Desde la*
puerta, con voz de hielo.) Y aténganse a las consecuencias.

> *(Sale. La puerta se cierra con un sonoro golpe.*
> *Su superficie se ha transformado: ya no es de*
> *madera, sino de chapa claveteada, y su pomo*
> *ha desaparecido. Silencio.* TOMÁS *se precipita*
> *a la puerta, que empuja sin resultado. Busca,*
> *en vano, el pomo dorado. Acaricia, descom-*
> *puesto, la fría plancha que la reviste. Se*
> *vuelve y permanece pegado a ella, mirando a*
> *sus compañeros con los ojos muy abiertos.*
> ASEL *no lo pierde de vista. Los demás van sen-*
> *tándose con aire cansino.)*

TULIO.—Al fin sucedió. Casi me alegro.

LINO.—Yo no. Seis días son muy pocos.

TULIO.—Menos es nada.

MAX.—¡Ahora nos llevarán abajo!

ASEL.—*(Ferviente.)* ¡Así lo espero!

MAX.—¿Quieres decir que... lo deseabas?

ASEL.—Yo no he dicho eso.

LINO.—¿Tardarán mucho en trasladarnos?

TULIO.—Dentro de un par de horas. O quizá esta noche.

(El silencio, de nuevo. TOMÁS *se separa despacio de la puerta, denegando levemente.)*

TOMÁS.—*(Con la voz velada.)* No estaba muerto. *(Unos pasos más.)* Todos le hemos oído hablar. Pedía de comer.

LINO.—*(Hostil.)* Nadie le oía. Sólo tú.

TOMÁS.—*(Asustado.)* ¿Insinúas que... estoy enfermo?

LINO.—*(Después de un momento.)* Llevaba seis días muerto.

TOMÁS.—Si no puede ser...

LINO.—¡Claro que puede ser! ¿Por qué te crees que olía tan mal? *(Ríe, mordaz.)* ¡Ya te han arreglado el retrete!

(Nuevo e instantáneo ascenso de la cruda iluminación, salvo en los rincones.)

ASEL.—Prudencia, Lino.

LINO.—¡Qué importa ya! Todo se ha precipitado.

ASEL.—No para él.

TOMÁS.—¿Es cierto, Asel? ¿Le oía yo solamente? (ASEL *baja la cabeza.)* ¿Tú no le oías?... Dime la verdad.

ASEL.—*(Melancólico, va a sentarse en la cama.)* No, Tomás. Yo no le oía.

*(TOMÁS *se acerca a los pies del lecho y se apoya en la tabla.)*

TOMÁS.—¿Por qué le habéis matado?

*(LINO *ahoga un exabrupto.)*

ASEL.—Nadie lo ha matado. Murió de inanición.

(TOMÁS *se incorpora. Perplejo, roza con los dedos la tabla de la cama, observa la habitación, la lámpara, la cruda luz nueva. Se acerca a los petates, toca uno de ellos.*)

TOMÁS.—Me ahogo... Tomaría un poco de cerveza. *(Apenas se ha atrevido a decirlo. Tembloroso, se dirige al frigorífico. Cuando está cerca se detiene, atónito, y retrocede un paso. La luz se vuelve, de repente, aún más agria y fuerte. Al tiempo, una lámina del mismo color que la pared desciende y oculta por completo la puertecita esmaltada.* TOMÁS *se vuelve.*) No es... posible. *(Va hacia la estantería, extiende una mano insegura... La luz da su último salto y queda fija en una cruda y casi insoportable blancura, que solamente respeta la penumbra de los rincones. Un lienzo de pared que desciende va ocultando la estantería hasta que desaparece del todo. Con creciente ansiedad,* TOMÁS *se acerca al teléfono y lo contempla. Sin decidirse a descolgar, pone sobre él la mano. Muy despacio, la retira y la junta con la otra. Súbitamente se vuelve hacia el ventanal y hacia su soleado paisaje. Después va al primer término y respira hondo, mirando por la ventana invisible. Sin volverse, interpela a* ASEL.*) ¿Estoy enfermo, Asel?

ASEL.—No mucho más que nosotros. *(Se levanta y se sitúa a su lado. Los dos miran por la ventana invisible.* ASEL *apunta con su pipa al exterior.*) Está hermosa la tarde.

TOMÁS.—Sí.

(TULIO, LINO y MAX *los observan.*)

ASEL.—Mira. Una bandada de golondrinas.
TOMÁS.—Juegan.

ASEL.—El mundo es maravilloso. Y ésa es nuestra fuerza. Podemos reconocer su belleza incluso desde aquí. Esta reja no puede destruirla.

> (TOMÁS *se sobresalta. Sus manos se aferran a dos barrotes invisibles.*)

TOMÁS.—¿Dónde estamos, Asel?
ASEL.—*(Con dulzura.)* Tú sabes donde estamos.
TOMÁS.—*(Sin convicción.)* No...
ASEL.—Sí. Tú lo sabes. Y lo recordarás.

> (*Miran los dos por la ventana.*)

TELÓN

PARTE SEGUNDA

I

Cruda y agria, aunque sin la intensidad últimamente alcanzada, la luz se ha estabilizado en el interior. En el chaflán y en el primer término derecho subsiste la extraña penumbra gris. El deslumbrante panorama sigue luciendo tras el ventanal. Todos los silloncitos han desaparecido; alrededor de la mesa, sólo tres petates que sirven de asientos. La cama plegable de la izquierda sigue en su lugar. La mesa ya no es de fina madera, sino de hierro colado similar al de la taquilla, y está empotrada en el suelo. La cama también se ha transformado: una simple litera de la misma chapa calada, empotrada en el muro derecho y con dos anchas patas de hierro a sus pies. Sobre la mesilla, sólo el teléfono. Ninguna vajilla de lujo, ninguna fina cristalería o mantelería en la taquilla: solamente el sordo destello de vasos metálicos y de cucharas hacinadas.

En la bocina de la puerta, un poco de basura.

(TOMÁS *conserva su pantalón oscuro, pero sus cuatro compañeros visten arrugados pantalones de color igual al de las numeradas ca-*

*misas, que ahora llevan sueltas como blusas.
Sobre la desnuda cama y adosado a la cabecera, otro petate en el que, sentado,* ASEL *sa-
borea su vieja pipa.* TULIO, *sentado en el
petate más cercano al muro derecho, lee, abu-
rrido, en su sempiterno libro viejo.* LINO *en-
juga, con un paño oscuro y grasiento, cinco
abollados platos de metal apilados sobre la
mesa.* MAX *no está visible. Apoyado en su
cama plegable,* TOMÁS *observa la faena de
LINO, quien le sonríe y le muestra el plato que
seca. Los rostros de todos, más demacrados.)*

LINO.—¡Porcelana fina! Digna de la exquisita cena que
acabamos de engullir.

(TOMÁS *baja la cabeza.)*

MAX.—*(Su voz, tras la cortina.)* ¡Estómago sin fondo!
LINO.—¿Lo tiene el tuyo?
MAX.—*(Su voz.)* Quejica. [Con lo guapos que nos ha de-
jado esta mañana el amable barbero de nuestra encantadora
Administración. ¿No te sientes más optimista con la cara
tan suave? Yo me siento como un artista de cine.]
LINO.—[Y yo como la fregona de un artista de cine.]

*(Prosigue su tarea y se sume en sus raros gor-
jeos a boca cerrada. Sin volverse a mirarlo,
toca* TOMÁS *el mueble donde se apoya como
un ciego que intentase identificar su forma.
Después va a la mesa, cuyo férreo metal contempla. Mira a* LINO, *a los otros.)*

TOMÁS.—¿Siempre habéis llevado esos pantalones?

TULIO.—*(Sin levantar la vista del libro.)* Desde que entramos aquí.

> (TOMÁS *se mira el suyo con disimulo. Pasa luego despacio por detrás de* LINO *y se acerca a la mesilla. Caviloso, apoya en ella las manos.)*

ASEL.—El rancho ha sido [más] flojo [que nunca.]

MAX.—Un aguachirle.

ASEL.—Me gustaría saber si era un castigo para nosotros o ha sido general.

MAX.—*(Su voz.)* No parece que nos apliquen medidas especiales... Ni siquiera nos han rapado la cabeza. [Cuando vi entrar al Encargado con el barbero me dije: se acabaron las guedejas. Pero no...]

ASEL.—No. Y es raro.

> *(Breve pausa.)*

TOMÁS.—*(Murmura.)* Las revistas estaban aquí.

> (ASEL *lo mira.)*

TULIO.—*(Lo mira y le tiende su libro.)* Si quieres leer, esto es lo que hay.

TOMÁS.—No, gracias.

> (TULIO *torna a su lectura.* TOMÁS *gira la cabeza y contempla la radiante luz del paisaje exterior. La del aposento está bajando muy lentamente.)*

LINO.—[Listos los platos.] *(Mientras lleva los platos y el paño a la taquilla.)* Ahora, el escobazo bajo la mesa. El recuento estará al caer.

TULIO.—Hace un minuto que abrieron las puertas.

LINO.—Menos la nuestra, claro. *(Busca tras la cortina la escobilla y echa una ojeada al piso bajo la mesa.)* No merece la pena barrer. Aquí no cae ni una miga.

> *(Va a la puerta, apiña un poco la basura con la escoba y, sin soltarla, se recuesta en el muro con los brazos cruzados.)*

TOMÁS.—*(Mira al frente.)* Está anocheciendo...

> *(Se vuelve hacia el paisaje, donde brilla la mañana esplendorosa.)*

TULIO.—[Como que] ya no se ve gota. Parece que tardan [hoy] en dar la luz...

LINO.—*(Hacia la cortina.)* ¡Acaba, Max! No tardarán.

MAX.—*(Su voz.)* Ya voy.

> *(Se oye el ruido del depósito que se descarga. TOMÁS lo acusa. Luego va a la cama y se sienta a los pies de ASEL, acariciando los calados de la plancha. Se enciende la luz sobre la puerta.)*

TULIO.—Si antes lo digo...

> *(Intenta seguir leyendo.)*

TOMÁS.—Este hierro es fuerte.

ASEL.—Muy fuerte.

TOMÁS.—Y la cama está empotrada [en la pared.

ASEL.—Y en el suelo.]

TULIO.—¡Qué luz más floja!

> *(Suelta el libro sobre la mesa con un golpe seco.)*

TOMÁS.—*(Se levanta, presuroso.)* Quizá encendiendo...

> *(Va a la derecha para encender la lámpara colgante. Silenciosa, la gran pantalla de fantasía se eleva y desaparece en lo alto; la luz del rincón que ocupaba se iguala con la del aposento.)*

TULIO.—¿El qué?

> *(TOMÁS observa la desaparición de la lámpara sin demasiada sorpresa y se pasa una mano por la frente. Luego va a la cabecera de la cama para encender la pantallita adosada a la pared. Va a extender la mano y ve cómo la pantallita se sume en el muro. MAX sale del encortinado chaflán abrochándose el pantalón bajo la camisa suelta. TOMÁS vuelve a la derecha del primer término.)*

TOMÁS.—Asel... ¿Nunca hubo aquí nada?

> *(MAX se sienta en su petate.)*

ASEL.—¿Veías tú algo?

LINO.—*(Mordaz.)* Ya lo creo. Y hasta la encendía a veces. Una lámpara.

[TOMÁS.—*(Ríe, nervioso.)* Bueno, burlaos... Estaré enfermo. Pero...

ASEL.—*(Frío.)* ¿Qué?]

TOMÁS.—Me cuesta trabajo pensar... que sólo eran imaginaciones.

TULIO.—Hay que felicitarse, Asel. El trastorno cede. Y ha bastado una pizca de sobrealimentación para ello. Tú tenías razón.

ASEL.—*(Grave.)* No estoy yo tan seguro.

TULIO.—[Desde luego, era una probabilidad contra muchas otras... Sin duda hay una predisposición innata, una mente algo inestable. Pero nuestro pobre tratamiento ha dado resultado a pesar de su interrupción.] El muchacho mejora y no parece haber recaídas.

ASEL.—*(Titubea.)* Sí... A no ser que... se trate de otra cosa.

[MAX.—¿De otra cosa?

TOMÁS.—*(Nervioso.)* No puedo creer que fueran imaginaciones. Estáis deseando confundirme.

ASEL.—*(Glacial, a* TULIO.) Ahí tienes la recaída.

TULIO.—No... Es que todavía fluctúa...

ASEL.—O quizá ha bastado que tú hablases de que no había recaídas para que se nos brindase una.

TULIO.—¿Me he vuelto a equivocar? Creí que podíamos hablar ya ante él con alguna claridad.

ASEL.—No te lo reprocho. Te invito a pensar... en otra posibilidad.

TOMÁS.—Pero...,] ¿estáis hablando de mí?

(ASEL *no le contesta.*)

TULIO.—No te entiendo.

MAX.—Ni yo. ¿De qué [otra cosa] hablas?

ASEL.—*(Mide sus palabras.)* De que... ayer mismo... Tomás recibió la visita de su novia. [No aquí, sino] en locutorios. Para eso lo llamaron, al menos.

TOMÁS.—*(Sorprendido.)* ¿Y qué?

> *(Todos lo miran. Empiezan a oírse rápidos portazos consecutivos, cada vez más cercanos.)*

LINO.—¡El recuento!

> *(Forma contra la pared del umbral.* MAX *y* TULIO *se levantan de prisa y van a la puerta, poniéndose firmes al otro lado.* ASEL *guarda su pipa, salta de la cama y forma junto a* LINO. TOMÁS *se acerca más despacio y forma, de espaldas, ante la puerta.)*

TOMÁS.—Esos portazos...

MAX.—Los oyes [varias veces] cada día.

TOMÁS.—Sí... Ya lo sé.

> (*Los portazos crecieron de intensidad, se alejaron y vuelven a sonar con fuerza creciente hasta oírse muy cerca. De pronto, cesan.)*

LINO.—Atentos.

> *(Se yergue. Óyese el ruido de la gruesa llave y la puerta se abre. Ante ella, con sus atildados atavíos, el* ENCARGADO *y su* AYUDANTE. *El fragmento de remoto paisaje que se divisaba al fondo se ha eclipsado; ahora se ve, a varios metros de distancia, otro largo corredor paralelo al ya conocido y con barandilla idéntica a*

*la de éste, volado sobre un muro gris en el que
descuellan los acerados rectángulos oscuros
de numerosas puertas iguales.)*

ENCARGADO.—La basura.

LINO.—Sí, señor.

*(Barre presuroso el montoncito y lo deja fuera,
a la derecha, volviendo de inmediato a su rí-
gida posición. El* ENCARGADO *entra y aparta
a* TOMÁS. *Mira y toca con rápidos dedos los
cachivaches de la taquilla, empuja un poco los
talegos, toquetea la mesa, la cama... Sus ojos
inquieren por todos lados. Con zozobra,* TO-
MÁS *repara en el nuevo panorama que se divisa desde la puerta.)*

TOMÁS.—*(Al* ENCARGADO.) ¿Por qué no nos dejan salir?

(El ENCARGADO *se vuelve como un rayo y lo
considera un momento. Desde el corredor, el*
AYUDANTE *emite una tenue risotada.)*

ENCARGADO.—*(Opta por sonreír.)* La Fundación le
ofrece una vez más sus excusas, señor novelista. Hay que
abrir una investigación acerca de lo sucedido aquí. Y Entretanto... *(Sus manos terminan la disculpa. Sale al corredor y
dice, ante la sofocada risa del* AYUDANTE.) Deseamos a los
señores un feliz descanso.

(Se va por la derecha. El AYUDANTE *cierra la
puerta con un seco golpe. Inmediatamente se
reanudan fuertes portazos sucesivos, cuyo*

ruido se aleja hasta terminar poco después.
LINO *deja la escoba tras la cortina,* TULIO *se*
encamina al petate más lejano, MAX *vuelve a*
sentarse donde estaba, ASEL *viene despacio al*
primer término y mira por la ventana invisible.)

ASEL.—Ya es de noche.

TULIO.—Y yo voy a desplegar mi suntuosa piltra.

MAX.—Hay que ahorrar fuerzas.

(LINO *se sienta en el otro petate y retorna a*
sus abstraídos gorjeos. TOMÁS *no se ha mo-*
vido. De pronto va a la puerta y la empuja, en
vano. Después contempla el brillante paisaje.
ASEL *lo advierte, retrocede hasta la mesa y se*
sienta en su borde, cruzado de brazos. TULIO
desenrolla el petate de la derecha y lo extiende
junto a la pared: la arpillera sobre el suelo, el
delgado colchón, que mulle sin gran resul-
tado, encima; el cabezal, que también remueve
antes, en su sitio, y la manta, que no llega a
desdoblar, sobre todo ello.)

TOMÁS.—*(Masculla.)* No puedo creerlo.

MAX.—*(Suave.)* ¿El qué?

TOMÁS.—Cuando han abierto la puerta... no se veía el
campo.

MAX.—¿Qué has visto?

TOMÁS.—Muchas puertas... como la nuestra.

TULIO.—*(Se sienta sobre su colchoneta.)* Y las has oído.

TOMÁS.—Sí.

TULIO.—*(A* ASEL.) Reconocerás que el proceso sigue su
curso.

relativo Franco

MAX.—Crees que estás viendo cosas raras, ¿eh? A lo mejor, el Encargado vestía de otro modo. [De uniforme, por ejemplo...]

TOMÁS.—No, no. Vestía como siempre. Pero esas puertas... son incomprensibles.

(TULIO *se tumba, con un suspiro de alivio.*)

ASEL.—Otra cosa es incomprensible. Y me pregunto si os percatáis todos de lo incomprensible que es.

TULIO.—Ya sé.

ASEL.—¿Y qué opinas?

TULIO.—Quizá lo están pensando.

ASEL.—No hay nada que pensar. Hace tres días que descubrieron al muerto. Nuestro traslado a la planta baja debió ser inmediato. Y seguimos aquí.

(LINO *interrumpe sus canturreos.*)

MAX.—*(Lo justifica.)* Pero incomunicados con los demás y sin paseo.

ASEL.—Falta ese traslado, y nunca falta, ni aun en casos más leves. Ni siquiera han cacheado aquí. *(Asombrado,* TOMÁS *escucha estas palabras.* ASEL *se vuelve a mirarlo.)* Y tampoco la incomunicación es absoluta.

(TULIO *se incorpora y lo mira.*)

MAX.—¿Te referías a eso antes del recuento?

ASEL.—Tomás fue llamado ayer a locutorios. Ayer: dos días después de descubrirse lo que habíamos hecho.

TOMÁS.—Era Berta... Ya lo oísteis.

ASEL.—*(Sin mirarlo.)* [¿No es insólito?] Tu madre, Max, se ha trasladado al pueblo más cercano para atenderte mejor y te visita con frecuencia. Es seguro que en estos tres días de incomunicación habrá venido, y no le han permitido verte.

MAX.—No lo sé. Eso temo.

ASEL.—Pero viene la novia de Tomás..., esa enigmática muchacha cuya visita se nos promete siempre..., y a él sí le levantan la incomunicación.

MAX.—Trato especial...

TULIO.—Como nosotros con él.

MAX.—Es lo único en que ellos y nosotros estamos de acuerdo.

ASEL.—No me entendéis. Supongamos por un momento que esa novia misteriosa... no vino, como tampoco ha venido aquí.

TOMÁS.—¡Pero me visitó! ¡Y está aquí!

ASEL.—*(Sin mirarlo.)* No viene, y a él lo llaman. Y a su vuelta nos cuenta la visita.

> *(Todos miran a* TOMÁS, *y éste, atónito, a* ASEL.*)*

TULIO.—¿Qué estás pensando?

ASEL.—*(Se retuerce las manos.)* Lo peor de nuestra situación es que ni siquiera podemos hablar claro. *(A* TULIO.*)* Pienso lo que tú.

TULIO.—*(Después de mirar a* TOMÁS, *murmura.)* Me cuesta creerlo.

MAX.—*(Quedo.)* Y a mí.

ASEL.—Pero lo pensáis.

MAX.—Y aun cuando fuera cierto, ¿qué tiene eso que ver con que no nos trasladen?

TOMÁS.—*(Alterado.)* ¡Otra vez me excluís de vuestros secretos!

MAX.—*(A* ASEL.) Parece como... si lamentases que no nos bajasen a los sótanos... (ASEL y TULIO *se miran.)* Abajo no vamos a estar mejor que aquí. ¿O sí?

TULIO.—Estaríamos peor.

LINO.—Entonces, ¿qué puede importarnos?

ASEL.—*(Irritado.)* ¡Nos importa porque no es lógico! [¡Debieron trasladarnos y no lo han hecho!] Y eso no me gusta nada.

[MAX.—Tal vez abajo esté todo ocupado.

LINO.—Hace cuatro días no lo estaba.

ASEL.—Y si lo estuviese, nos habrían castigado de otro modo. Con una paliza, por ejemplo.

TOMÁS.—*(Descompuesto.)* ¿Con una paliza?...]

MAX.—Dada nuestra situación, puede que no hayan estimado tan grave la falta.

ASEL.—*(Seco.)* Con Tomás, por lo menos, han sido deferentes.

LINO.—*(Ríe.)* ¿Le retiras tu confianza? Pronto has cambiado.

(TOMÁS *se sienta sobre el petate de* ASEL *y esconde la cabeza entre las manos.)*

ASEL.—[Sólo me pregunto una cosa.] ¿Por qué lo llamaron?

LINO.—Eso no lo sé.

(Se levanta y desaparece tras la cortina.)

MAX.—Tendría esa visita...

ASEL.—*(Cortante.)* Estamos incomunicados.

MAX.—Tal vez no con los familiares.
ASEL.—¿Y tu madre?

> (*Silencio. Se oye el depósito.* ASEL *se vuelve
> lentamente y se enfrenta con* TOMÁS.)

MAX.—Tomás, cuéntanos tu visita al locutorio.
TOMÁS.—(*Descubre su rostro sombrío.*) Ya os lo conté.
ASEL.—Pero no con detalles.
TOMÁS.—¿Qué más da?

(LINO *reaparece y se recuesta en el muro.*)

ASEL.—(*Reprime su enojo.*) Por favor.
TOMÁS.—Tú crees que miento.
ASEL.—Pues habla sin mentir.
TOMÁS.—¡Nunca he mentido!
TULIO.—(*Afable.*) Tomás, cuéntanos la visita... Yo te creo.
TOMÁS.—(*Suspira.*) Me llamaron por esa rejilla. (*Señala a la sobrepuerta.*) Todos lo oísteis.
TULIO.—¿Y después?
TOMÁS.—En el locutorio me esperaba Berta.
ASEL.—¿Detrás de una tela metálica?
[TOMÁS.—No.
ASEL.—¿Cómo que no?]
TOMÁS.—[¿No querías detalles?] Detrás de dos. [No podíamos ni tocarnos los dedos.] Nos pidieron disculpas por eso.
LINO.—¿Qué dijeron?
TOMÁS.—Que lo hacían para evitar contagios. Por el trabajo de ella en el laboratorio y por lo que había ocurrido aquí.

[ASEL.—*(Incrédulo.)* ¿Eso te dijeron ellos?

TOMÁS.—Sí.]

TULIO.—¿De qué te habló tu novia?

TOMÁS.—Me preguntó cómo me encontraba; le dije que bien. Le reproché que no hubiese venido más a menudo y que apenas me llamase por teléfono.

MAX.—¿Y ella...?

TOMÁS.—*(Baja la cabeza.)* Se echó a llorar. No quiso decirme por qué. Le dije que no me iba a engañar, que algo le sucedía. Porque... no vestía ropas de la Fundación..., sino un trajecito viejo y sin número. [Me aseguró que no le habían retirado la beca y ellos me lo confirmaron, muy amables.] Me dijo que vestía así porque... había ido al pueblo a unos recados... Y prometió visitarme pronto, o llamarme. Pero no ha venido... Y [yo estoy muy inquieto... Porque] se fue llorando... a lágrima viva... [Y ahora vosotros... no sé qué sospecháis, ni qué tramáis.] ¡Y yo ya no entiendo nada de lo que ocurre!

> *(Calla.* ASEL *se acerca a la cama y se sienta a sus pies.)*

ASEL.—Y con ellos, ¿no hablaste?

TOMÁS.—Cuatro palabras. Se empeñaron en acompañarme hasta aquí.

MAX.—Quizá te preguntaron por tu novela...

TOMÁS.—Y por los trabajos de todos... Lamentaron la atrocidad que habíamos cometido; me preguntaron si se trataba de alguna experiencia médica...

ASEL.—¿Médica?

TOMÁS.—Saben que eres médico.

> *(*ASEL *mira a los demás.)*

ASEL.—¿Se lo has dicho tú?

TOMÁS.—Ya ellos lo saben, ¿no? Y me preguntaron si era una experiencia médica.

ASEL.—¿Mía?

TOMÁS.—*(Lo piensa.)* No recuerdo que te citaran. Sólo me preguntaron qué perseguíamos al hacerlo.

(ASEL *se levanta y da unos pasos. Se vuelve.)*

ASEL.—¿Y qué les contestaste?

TOMÁS.—Que no me encontraba bien y que no recordaba muchas cosas... Que, a mi juicio, ese disparate se había cometido para comer algo más. Entonces se volvieron a disculpar por las deficiencias del suministro y aseguraron que mejoraría muy pronto.

LINO.—Se pasan la vida prometiendo...

TULIO.—Pero no ha mejorado.

TOMÁS.—No.

(Silencio. TOMÁS *mira al paisaje y nota que está oscureciendo. Ello le asombra, pero no dice nada.)*

LINO.—Voy a hacer mi cama. Pronto apagarán.

ASEL.—Espera. *(Se aproxima a* TOMÁS *y le habla muy de cerca.)* ¿Qué más les dijiste?

TOMÁS.—*(Intimidado por la dureza de su tono.)* Creo que... nada más.

ASEL.—Crees. Pero tu cabeza no rige bien; tú mismo lo reconoces ya... [Ves cosas que los demás no vemos, hablas de personas que desconocemos... Supongamos por un momento que estás bajo la impresión de un falso recuerdo.

TOMÁS.—¿Un falso recuerdo?

ASEL.—Te parece recordar que recibiste la visita de tu novia, y tal vez es un falso recuerdo que tapa al verdadero.

TOMÁS.—¡Ella estaba en el locutorio! Y lloraba.

ASEL.—¡Es una suposición! Si ella no estaba allí y, sin embargo, te llamaron, ¿para qué te llamaron?

TOMÁS.—¡Para verla! ¿Para qué si no?

ASEL.—Eso es lo que quisiera que recordases... o reconocieses.] No vas a locutorios, te llevan a una oficina. Y te preguntan por qué hemos ocultado la muerte de nuestro compañero.

TOMÁS.—¡Se lo dije al volver! [Te he dicho lo que hablé con ellos durante el regreso.]

ASEL.—*(Fuerte.)* ¿Qué más les dijiste?

TOMÁS.—*(Se levanta.)* ¡No te tolero que dudes de mí!

> *(Salta de la cama y* ASEL *lo aferra por un brazo.)*

ASEL.—¡Berta no vino! ¿Por qué te llamaron?

TULIO.—*(Se interpone.)* Asel, te excedes...

TOMÁS.—¡Suelta!

ASEL.—¿De qué les hablaste?

TULIO.—Ahora eres tú quien pierde los nervios, Asel.

TOMÁS.—*(Forcejea.)* ¡Déjame!...

ASEL.—*(Colérico.)* ¿Por qué no nos trasladan?

> *(*TOMÁS *se desase y va al primer término, muy alterado.)*

MAX.—Interesante pregunta.

TOMÁS.—Que la conteste quien pueda. [*(A* ASEL.) Estoy enfermo, pero tú me quieres volver loco. [¡La Fundación es muy extraña, ya lo sé!] ¡Ni vosotros ni yo la entendemos!]

¡Pero el Encargado se acaba de disculpar! ¡Todo es cierto, cierto! *(Señala al fondo.)* ¡Tan cierto como ese paisaje!

ASEL.—¡Que no cambia!

TOMÁS.—*(Con el dedo tendido hacia el fondo.)* ¡Oscurece! ¡La noche se acerca y oscurece! ¿No lo veis?

TULIO.—La recaída.

ASEL.—O una torpe mentira.

TOMÁS.—*(Se esfuerza en hablar con calma.)* Yo no miento. Y Berta está aquí. ¡Y vendrá esta noche! Porque ahora mismo se lo voy a ordenar.

ASEL.—*(Irónico.)* ¿Por teléfono?

TOMÁS.—¡Sí! Antes de que alguien lo escamotee también.

> *(Se acerca despacio al teléfono y le pone la mano encima, mirando a todos con recelo. Con un airado ademán,* ASEL *extiende su petate sobre la cama; sin terminar de disponerlo observa, con inmensa desconfianza, a* TOMÁS.)

MAX. *(Entretanto, conciliador.)* Todos perdemos alguna vez la calma y hoy le ha tocado a Asel. [Discúlpale, Tomás.]

LINO.—*(Lo mira.)* Todos, no.

MAX.—¡Todos! Y tú también. Asel es [un hombre] muy razonador y, si algo le parece incomprensible, se desespera... Quizá tu llamada aclare las cosas. Descuelga.

> *(*ASEL, *que lo escuchaba asombrado, recibe de* MAX *un calmoso ademán que pide confianza. Entonces se recuesta en el borde de la cama y se cruza de brazos.* TULIO *se sienta sobre su colchoneta.* TOMÁS *mira a todos y descuelga.*

Marca. Larga pausa. Oprime varias veces la
horquilla y sigue escuchando, nervioso.)

TOMÁS.—No contestan.

(Los mira, receloso. Cuelga, despacio, con la
cara nublada. Retira su mano y contempla el
aparato. Después se aleja, sin mirar a nadie.)

ASEL.—*(Quedo.)* No sé qué pensar.

TULIO.—*(Se sienta en la cama junto a* ASEL.) Ahora soy
yo quien te dice: calla y reflexiona.

ASEL.—*(Sin dejar de observar a* TOMÁS.) Eso intento.

TULIO.—Quizá es sincero y el proceso sigue: parece que
el teléfono está ahí todavía, pero ya no funciona.

LINO.—*(Quedo.)* Y es posible que su novia le haya visitado realmente.

(Descontento consigo mismo, ASEL *arregla su*
colchón sobre la cama. TULIO *se acerca a* TO-
MÁS. *Éste lo nota, se acerca al mueble-cama y*
empieza a desplegarlo. Una vez dispuesta su
pobre yacija, ASEL *se reclina, saboreando su*
pipa.)

TULIO.—La volverás a ver, muchacho. Como yo a la
mía. *(Suspira.)* Así lo espero, al menos.

*(*ASEL *lo mira muy interesado.)*

MAX.—¿La tuya?

TULIO.—Nunca os he hablado de ella. [Ni a ti, Asel.]
¿Para qué? Pero esta noche no me la puedo quitar de la ca-

beza. Casi veinte años le llevo. Yo la adoraba sin soltar palabra. Figuraos: me encontraba tan ridículo ante aquella
nena... *(Ríe.)* Se tuvo que declarar ella.

(MAX *sonríe.* LINO *se sienta en su petate.*)

ASEL.—*(Se guarda su pipa.)* ¿Dónde está ahora?
TULIO.—En el extranjero. Decidimos que debía aprovechar la beca... *(Terminando de arreglar su cama,* TOMÁS
atiende.) ¡Ésa sí que era una beca! A su regreso, nos casa-
ríamos. No sabe dónde estoy ahora. Aunque lo supondrá...
Su viaje la ha salvado.
TOMÁS.—*(Tímido.)* ¿De qué?
TULIO.—*(Lo mira y sonríe.)* De mí... *(Se sienta.)* No sabéis cuánto me consuela que ella esté a salvo y aproveche
su tiempo. Es doctora en Ciencias Físicas; sabe mucho más
que yo. Me buscó para todo ese jaleo de los hologramas,
porque un buen técnico sí que soy. (TOMÁS *se inquieta ante
el tema.)* Si nos volviésemos a reunir, ya hay una excelente
Universidad que nos espera... en otro país. Pasamos allí un
año: el mejor de nuestra vida. Teníamos todos los aparatos
necesarios, nos construían los que pedíamos... y jugába-
mos... Para nosotros era el más fascinante de los juegos.
ASEL.—¿La holografía?

(Va hacia ellos.)

TULIO.—Sí. Nos gastábamos bromas, proyectábamos objetos de bulto para engañarnos el uno al otro... Habíamos logrado enorme perfección en las imágenes y en disimular los
focos de proyección. (TOMÁS *se detiene. Siente náuseas.)*
Yo picaba más que ella; siempre he sido algo bobo. Y ella se
reía a carcajadas, con aquella risa suya... que oigo siempre.

TOMÁS.—*(Muy quedo.)* Cállate.

TULIO.—Un día me estaba esperando en el laboratorio, leyendo en un sillón muy quietecita. Fui a besarla y... *(Ríe.)* ¡era un holograma!

MAX.—*(Estupefacto y risueño.)* ¿Un holograma?

TULIO.—¡De arriba a abajo! ¡Hasta el sillón! Ella se había escondido tras una mesa y empezó a reír como una loca. *(Ríe.)* Y yo...

TOMÁS.—*(Grita.)* ¡Cállate!

(Todos lo miran. Silencio.)

TULIO.—Paciencia, muchacho. Volverás a abrazar a Berta.

ASEL.—No le digas eso.

TULIO.—¡Déjanos soñar un poco, Asel! *(Se levanta.)* ¡Él se reunirá con su novia y yo con la mía! La vida no tendría sentido si eso no sucediera. Yo te comprendo muy bien, Tomás. (TOMÁS *deniega sin volverse.)* ¡Un día las abrazaremos! ¡Y no serán ilusiones, no serán hologramas! (TOMÁS *hunde la cara en sus puños.)* Será una conmovedora realidad... de carne y hueso. *(Se acerca a* ASEL.) Por eso haré todo lo que tú digas, Asel. Eso hay que conseguirlo.

LINO.—¿El qué?

ASEL.—*(Rápido.)* Reunirse con ella, hombre. (TULIO *y él se miran.)* ¿Nos invitarás a la boda, [supongo?]

MAX.—*(Lo mira con curiosidad.)* Ahora sueñas tú...

ASEL.—*(Ríe.)* Un desahoguillo antes de que apaguen. [Porque nos van a apagar de un momento a otro...]

LINO.—Mucho tardan hoy.

ASEL.—Pues mientras tardan, soñemos un poco, por qué no. Sí: acaso un día brindemos a la salud de la feliz pareja.

TULIO.—En esa ocasión y en otras.

(*Pasea.*)

MAX.—¿Cuáles otras?

TULIO.—(*Muy serio.*) Cuando nos den a ella y a mí el Premio Nobel. (MAX *suelta la carcajada.* TOMÁS *esboza una sonrisa y se vuelve hacia ellos despacio. Los demás también ríen.* TULIO *ríe a su vez.*) Bueno, ya estamos en un manicomio y todos felices. Pero os advierto que en la Universidad se rumoreaba ya..., cuando tuvimos la buena idea de regresar aquí.

MAX.—¡La nostalgia!

TULIO.—La estupidez.

MAX.—(*Riendo.*) Os juro que ahora sí me gustaría tomar una cerveza.

> (TOMÁS *mira instintivamente al lugar donde veía el frigorífico.*)

LINO.—¡Y a mí!

MAX.—¡Para brindar por tu Nobel y por el que le caerá encima a la novela de Tomás!

TOMÁS.—(*Risueño, va a la mesa y se sienta en su borde.*) ¡No digáis chiquilladas!

TULIO.—(*Le palmea en la espalda.*) ¡Sí, hombre! ¡Chiquillos todos, como tú! Sueña, Tomás. Me arrepiento de habértelo reprochado. Es nuestro derecho. ¡Soñar con los ojos abiertos! Y tú los estás abriendo ya. ¡Si soñamos así, saldremos adelante!

ASEL.—Si nos dan tiempo.

> (*Se sienta sobre la cama de* TOMÁS.)

LINO.—¡Hay conmutaciones, Asel! ¡Pueden conmutarnos!

ASEL.—Prefiero no esperarlas.

MAX.—¿Y qué podemos hacer sino esperarlas?

ASEL.—(TULIO *y él se miran.*) Cierto.

TOMÁS.—¿Qué nos tienen que conmutar?

(Estalla la risa de todos.)

TULIO.—¡Asel, [reconocerás que] ésa es la voz de la inocencia!

ASEL.—*(Frío.)* Tal vez.

TOMÁS.—*(Se levanta, expansivo.)* Me alegra tanto lo que has dicho, Tulio... Porque la amistad es una bella cosa. [Hemos reñido, pero soy tu amigo.] ¡Volverás con tu novia, amigo! *(Con energía, con gravedad.)* La vida, la dicha de crear, nos esperan a todos.

TULIO.—¡Así será, Tomás! No nos destruirán. Un día recordaremos todo esto, entre cigarrillos y cervezas. *(Le pasa a* TOMÁS *un brazo por la espalda.)* Diremos: parecía imposible. Pero nos atrevimos a imaginarlo y aquí estamos.

ASEL.—*(Grave.)* Eso. Aquí estamos.

TULIO.—¡No, no! ¡Estaremos! Diremos: aquí estamos. *(Oprime, afectuoso, la espalda de* TOMÁS.*)* Y tú, con tus fantasías, me lo has hecho comprender. Tú no estás tan loco. ¡Tú estás vivo! Como yo.

TOMÁS.—*(Conmovido.)* Pero..., ¿lo comprendes, Tulio? Si creemos en ese futuro es porque, de algún modo, existe ya. ¡El tiempo es otra ilusión! No esperamos nada. Recordamos lo que va a suceder.

ASEL.—*(Sonríe con melancolía.)* Recordamos que no existe el tiempo..., si nos dan tiempo para ello.

TULIO.—*(Ríe.)* ¡No nos amargues la noche, Asel! [¡Esta noche, no!]

TOMÁS.—*(Casi como un niño.)* ¡Esta noche, no, Asel!

(Y ríe también.)

ASEL.—Conforme, conforme. ¡Viva el presente eterno!

(Y saca su pipa.)

MAX.—¡Bravo! ¡Fuma tu pipa de aire, Asel!

(ASEL *ríe y va a meterse la pipa en la boca. Pero
se la guarda de inmediato y se incorpora, tenso.)*

ASEL.—Callad. *(Breve pausa.)* ¿No oís pasos?
TOMÁS.—¿Pasos?

(ASEL *se levanta y mira hacia la puerta.* LINO
*se precipita a la puerta y escucha, con el oído
pegado a la plancha.* TOMÁS *se yergue.)*

LINO.—Se acercan.
MAX.—Quizá pasen de largo.

*(Silencio absoluto. Transcurren unos se-
gundos.)*

LINO.—No pasan de largo.

*(Retrocede hacia la pared izquierda. Ruido de
llave. La puerta se abre, rápida. En el umbral,
el* ENCARGADO *y su* AYUDANTE. *Al fondo, la
galería repleta de puertas cerradas. Los dos
hombres llevan su derecha metida en el bolsillo de la chaqueta; el* ENCARGADO *trae un papel en la otra mano y entra.)*

ENCARGADO.—C-81.

TULIO.—*(Su mano roza la inscripción de su pecho.)* Soy yo.

ENCARGADO.—*(Lee.)* ¿Tulio...?

TULIO.—*(Lo interrumpe.)* Presente.

ENCARGADO.—Salga con todo lo que tenga.

(Se miran todos.)

ASEL.—¿Nadie más?

ENCARGADO.—*(Molesto por la pregunta.)* De aquí, nadie más.

(TULIO *suspira hondamente y crúza para tomar su saquito de la percha.)*

LINO.—Yo te ayudo.

(Se vuelve y toma un plato, un vaso y una cuchara de la taquilla. TULIO *cruza con el talego y lo deja caer sobre su colchoneta.* ASEL *va a su lado y se inclina para ayudarle.* LINO *va a cruzar; se detiene, indeciso, y mira al* EN-CARGADO.)

ENCARGADO.—*(Seco.)* ¿Qué le pasa a usted?

LINO.—¿Lo llevan abajo?

ENCARGADO.—¿Por qué abajo?

LINO.—Por lo que pasó aquí...

ENCARGADO.—No.

(LINO *llega al colchón de* TULIO, *abre la boca del talego y mete en él los cacharros. En se-*

guida va a los pies del petate extendido y cam-
bia una mirada con ASEL, *que está al otro ex-*
tremo.)

TULIO.—*(Voz débil.)* Dejadme a mí.
LINO.—No. Tú, no.

(Ayudado por ASEL, *enrolla el petate y lo ata*
con unas cuerdecillas dispuestas en la arpi-
llera.)

TOMÁS.—*(Entretanto, al* ENCARGADO.) ¿Lo trasladan a
otra habitación?

*(*LINO *lo mira duramente;* TULIO *está inmóvil,*
con los ojos bajos; el ENCARGADO *sonríe.)*

ENCARGADO.—[Mas bien] a otro lugar.
TOMÁS.—Yo no llegué a pedirlo, Tulio...
TULIO.—Lo sé. No te preocupes.
TOMÁS.—*(Perplejo.)* Ven a vernos...
ENCARGADO.—*(A los del petate.)* ¡Dense prisa!
ASEL.—Ya está.

*(*LINO *y él se yerguen.)*

ENCARGADO.—*(A* TULIO.) Cárguelo.
TULIO.—*(Con desdén.)* No sin antes despedirme. *(El* EN-
CARGADO *esboza un movimiento de impaciencia, pero no*
dice nada.) Tomás, un abrazo. Amigos para la eternidad.

(Lo abraza.)

TOMÁS.—*(Risueño.)* ¡Te juro que nunca más reñiremos! ¡Hasta pronto!

TULIO.—Por si no nos vemos, escúchame una palabrita... Despierta de tus sueños. Es un error soñar.

(Deshace el abrazo.)

TOMÁS.—*(Con risueña sorpresa.)* ¿En qué quedamos?...

TULIO.—*(Con una afectuosa palmada en el hombro le corta.)* Mucha suerte. *(Se vuelve hacia* MAX.*)* Max...

MAX.—*(Lo abraza.)* Ánimo.

TULIO.—Lo tendré. Gracias por tu ayuda, Lino.

LINO.—*(Lo abraza.)* No tendremos más suerte que tú.

TULIO.—¿Quién sabe? *(A* ASEL.*)* ¿Quién sabe, Asel? A mí no me han dado tiempo, pero todo puede resolverse aún.

(Se abrazan entrañablemente.)

ASEL.—*(Se le quiebra la voz.)* Tulio... Tulio.

TULIO.—No. Sin flaquear.

> *(Se separan. Sus manos aún se estrechan con fuerza.)*

ENCARGADO.—¡Vamos!

> *(*LINO *y* ASEL *levantan el petate y lo cargan a hombros de* TULIO, *que se encamina a la puerta. Allí se vuelve.)*

TULIO.—¡Suerte a todos!

TOMÁS.—*(Afectado a su pesar.)* ¡Que veas pronto a tu novia, Tulio!

(Para TULIO *es como un golpe a traición y la desesperación crispa su cara. Pero aprieta los dientes y sale, brusco, desapareciendo por la derecha. El* ENCARGADO *sale tras él y la puerta se cierra. Silencio.* ASEL *se derrumba en su cama.)*

LINO.—*(Se golpea una mano con el puño de la otra.)* ¡Por eso no apagaban!

MAX.—*(Murmura.)* Haré mi cama.

(Se acerca a su petate.)

LINO.—¿Prefieres su sitio? Está más resguardado.

MAX.—Ocúpalo tú. (LINO *agarra su petate y empieza a extenderlo en el lugar que ocupó el de* TULIO. MAX *extiende el suyo entre la cama y la mesa.* ASEL *empieza a desnudarse muy despacio: primero, el calzado, que deja bajo la cama; después, la blusa, que pone a los pies del lecho. Absorto, se detiene.)* Intentaremos dormir.

*(*MAX *se descalza y se desabrocha.)*

LINO.—¿Le quitarán también la luz a Tulio?

ASEL.—Al amanecer.

LINO.—No me has entendido.

ASEL.—Tú no me has entendido.

LINO.—*(Se descalza.)* Hay que darse prisa, van a apagar.

(Se va desnudando. TOMÁS *se sienta en su cama y se quita el calzado.)*

TOMÁS.—Todos sentimos la marcha de Tulio... A pesar de sus rarezas es un excelente compañero. [Pero, en realidad, deberíamos estar contentos. Si a él le han levantado el arresto, el nuestro será también leve y pronto empezaremos a trabajar.]

> *(Va poniendo su ropa sobre la cama.* LINO *lo mira fijamente.)*

ASEL.—¡Calla, por favor!

MAX.—No le hagas caso.

ASEL.—Vosotros no podéis comprender lo solo que me siento.

TOMÁS.—*(Con afecto.)* No estás solo, Asel. Y a Tulio no tardaremos en verlo.

> *(Ha terminado de desnudarse y queda en inmaculada ropa interior, que contrasta con las rotas y no muy limpias de sus compañeros.)*

ASEL.—*(Duro.)* Si estuvieses fingiendo, no tendrías perdón.

LINO.—No creo que finja. Es que no quiere despertar.

TOMÁS.—¿Despertar?...

LINO.—*(Agrio.)* Lo último que te dijo Tulio. No lo olvides, porque ya no lo volverás a ver.

TOMÁS.—¿Qué sabes tú?

LINO.—¡Lo van a matar!

> *(*TOMÁS *se levanta, demudado. La luz de la sobrepuerta se apaga. El cuarto queda iluminado por la mortecina claridad lunar que penetra por la ventana invisible.)*

MAX.—Menos mal que hay luna.

(Termina de desnudarse aprisa.)

TOMÁS.—*(A* LINO.*)* ¿Qué has dicho?

LINO.—¡Lo van a matar, imbécil! ¡Como a todos nosotros! *(A* ASEL.*)* ¡Hay que decírselo, Asel, aunque tú no quieras!

ASEL.—*(Sentado en su cama, mira a* TOMÁS.*)* Yo ya no digo nada.

TOMÁS.—¿Es que todos estamos perdiendo la razón?

(De pronto, corre al teléfono.)

LINO.—¿Dónde vas?

*(*TOMÁS *va a descolgar y advierte cómo el aparato se desliza sobre la mesilla y desaparece por un hueco de la pared, que se cierra.)*

TOMÁS.—¿Os habéis propuesto que mi cabeza estalle? [¿Es a mí a quien pretendéis destruir?...] Asel, ¿ya no puedo confiar ni en ti?

(Ante el silencio de ASEL, *retorna a su cama y se sienta, tembloroso.)*

ASEL.—*(Con voz de hielo.)* ¡Qué más les dijiste cuando te llamaron?

(Con un desesperado resuello, TOMÁS *se mete presuroso entre sus limpias sábanas, encoge el cuerpo y esconde la cabeza, de la que sólo asoma, mirando al frente, su contraído rostro de ojos dilatados.* ASEL *levanta las piernas,*

*las apoya en el borde de la cama y oculta su
cara entre las manos. A* MAX, *sentado en su
colchoneta, apenas se le ve tras la mesa; inclinado hacia delante y con sus brazos cruzados
sobre las rodillas, refugia en ellos su cabeza.*
LINO *suspira y se mete bajo la manta; incor-
porado a medias sobre un codo, mira al frente
con ojos extraviados. Larga pausa.)*

LINO.—¿Qué más les pudo haber dicho? ¿Y qué puede
importarte?

ASEL.—*(Sin levantar la cabeza.)* Ya, muy poco. Éste es
el fin.

LINO.—No hay que ponerse en lo peor.

ASEL.—Eres joven... ¿Es la primera vez?

LINO.—Sí. ¿Y tú?

ASEL.—La tercera. La segunda fue muy larga... Ésta no
lo será tanto. Y ya no habrá una cuarta.

LINO.—Eso no lo puedes decir.

ASEL.—Aun cuando escapase de ésta, no la habrá, porque estoy agotado. Hace tiempo que me pregunto si no [so-
mos nosotros los dementes... Si no] será preferible [hojear
bellos libros, oír bellas músicas,] ver por todos lados televi-
sores, [neveras,] coches, cigarrillos... Si Tomás no fingía, su
mundo era verdadero para él, y mucho más grato que este
horror donde nos empeñamos en que él también viva. Si la
vida es siempre tan corta y tan pobre, y él la enriquecía así,
quizá no hay otra riqueza, y los locos somos nosotros por no
imitarle... *(Con triste humor.)* Es curioso. Me gustaría que
fuese verdad todo lo que siempre he combatido como una
mentira. [Que la Fundación nos amparase, que Tulio estuviese en un nuevo pabellón lleno de luz...] *(Ríe débilmente.)*
Estas cosas se piensan cuando uno está acabado.

LINO.—Sólo cuando uno está cansado. Mañana lo verás de otro modo.

MAX.—¿Intentamos entonces descansar? Es lo mejor que podemos hacer.

(Se mete en la cama y se arrebuja.)

LINO.—¿Duermes, Tomás?...

(TOMÁS, con los ojos muy abiertos, no responde.)

MAX.—Por lo menos, esta noche no habrá más visitas.

LINO.—Que descanséis.

(Se echa, se vuelve hacia la pared y se arropa.)

ASEL.—Pobre Tulio.

(Se acuesta. Sin cambiar de postura, TOMÁS cierra los ojos. Larga pausa. Debilísima, casi inaudible, comienza a sonar una tenue melodía: la Pastoral de Rossini. Al tiempo, y sin que la espectral claridad lunar del interior se altere, la dulce luz del alba alegra el paisaje tras el ventanal. TOMÁS abre los ojos y escucha, estático, las suavísimas notas. Por la cortina del cuarto de baño aparece, lenta, una silenciosa silueta. TOMÁS se incorpora de súbito y ve a BERTA, con el blanco atuendo de su primera aparición.)

TOMÁS.—*(Muy quedo.)* Berta.

(Ella le recomienda silencio con gesto grave y avanza, sigilosa, mirando a los hombres acostados. Ya a su lado, se sienta en el borde de la cama.)

BERTA.—No levantes la voz.

TOMÁS.—¿Cómo has podido entrar? La puerta está cerrada.

BERTA.—No para mí.

TOMÁS.—Has tardado mucho.

BERTA.—*(Irónica.)* Si quieres, me voy.

TOMÁS.—*(Aferra una de sus manos.)* No. Tú eres mi última seguridad.

BERTA.—¿Seguridad?

TOMÁS.—Voy a despertarlos. Quiero que te vean.

BERTA.—[Están cansados.] Déjales dormir.

TOMÁS.—Han trasladado a Tulio.

BERTA.—Ya lo sé.

TOMÁS.—Estos locos dicen... que lo van a matar. Pero [es mentira.] Si tú estás aquí, es mentira.

BERTA.—Tú sabrás.

TOMÁS.—Ya no sé nada, Berta. ¿Por qué la Fundación es tan inhóspita? ¿Tú lo sabes?

BERTA.—Sí. Y tú.

TOMÁS.—Yo, no.

BERTA.—Bueno. Tú, no.

TOMÁS.—*(La abraza. Ella lo soporta, pasiva.)* ¿No quieres contestarme? ¿Has venido a burlarte?... Tú me querías... Hoy no eres la misma.

BERTA.—*(Risita.)* ¿No?

TOMÁS.—Por favor, no te rías.

BERTA.—*(Seria.)* Como quieras.

(*Mira al vacío.*)

TOMÁS.—¿Por que lloraste en el locutorio?

BERTA.—Por Tomás.

TOMÁS.—¿Por el ratón?

BERTA.—Está muy enfermo.

TOMÁS.—¿Se va a morir? (*Silencio.*) Será un mártir...

BERTA.—De la ciencia.

TOMÁS.—Si le habéis inoculado algo...

BERTA.—Nada. No sé si habrá trabajos.

(*Se miran fijamente.*)

TOMÁS.—Entonces, ¿de qué va a morir Tomás?

BERTA.—(*Seca.*) No sé si va a morir.

TOMÁS.—Está vivo, luego morirá. Morirá, Berta. Y ni siquiera sabemos si habrá trabajos. Ven.

(*La atrae hacia sí.*)

BERTA.—¿Qué quieres?

TOMÁS.—(*Levanta las ropas de la cama.*) Ven a mi lado.

BERTA.—(*Se echa hacia atrás.*) ¿Y ellos?

TOMÁS.—¿Qué importa? Vamos a devorarnos. A morir. Sórbeme, mátame.

BERTA.—(*Risita.*) ¿Sólo me quieres para eso?

TOMÁS.—¡Qué más da! Tú ya no eres Berta.

> (*Se miran. Ella se abalanza de pronto y le muerde los labios. Sin separar sus bocas, las manos de él se vuelven audaces. Se vencen los dos sobre el lecho; él separa más las ropas para que entre ella. El beso continúa; él gime*

sordamente. *La música cesa de repente y se oye la voz de* ASEL.)

ASEL.—¿Qué te pasa, Tomás?

BERTA.—*(Se incorpora, rápida, y susurra, sin mirarlo.)* ¡Te lo dije!

TOMÁS.—*(Susurra.)* ¡Vete al cuarto de baño!

(BERTA *se levanta y retrocede hacia la cortina del chaflán, tras la que desaparece.* ASEL *se sienta en su cama.)*

ASEL.—¿Con quién hablabas?

TOMÁS.—*(Sin incorporarse.)* Con nadie.

(LINO *se apoya en un codo y lo mira.)*

ASEL.—No vayas a decir que nos creías dormidos. Nadie ha podido dormir después de lo de Tulio. Ni tú.

TOMÁS.—Yo no dormía.

(MAX *se incorpora en su lecho.)*

ASEL.—Entonces, ¿pretendías engañarnos? (TOMÁS *se sienta en su cama, sombrío.)* Demostrarnos que Berta, pese a todo, ha venido. ¿No es así?

MAX.—Aunque no durmiese, quizá fabulaba.

ASEL.—Eso es lo que digo.

MAX.—No me entiendes. Hablo de... las compensaciones de la soledad. El desahogo de los sentidos mediante la imaginación de un grato encuentro íntimo...

TOMÁS.—*(Inseguro.)* Yo no fabulaba.

ASEL.—*(Amargo.)* Él no fabulaba. Berta ha venido... y se ha marchado.

TOMÁS.—*(Inseguro.)* ... No se ha marchado.

LINO.—*(Estupefacto.)* ¿Qué?

TOMÁS.—Está... en el cuarto de baño. *(Grosera carcajada de* LINO. TOMÁS *se lleva las manos a la cabeza, exasperado.)* ¡Sí, y la vais a ver! No podrá irse sin que la veáis, así que es mejor dejarse de tapujos.

ASEL.—Si hubiesen sacado a Tulio por tu culpa, merecerías...

MAX.—Pero, ¿qué les pudo decir?

TOMÁS.—*(Se pone aprisa el pantalón, se levanta.)* ¡Berta os está escuchando! ¡La vais a ver ahora mismo!

ASEL.—*(Se levanta también.)* ¡Está bien! Que salga. *(*LINO *se levanta, muy intrigado.* MAX *empieza a incorporarse.)* ¡Llámala!

TOMÁS.—*(Titubea.)* ¿Que la llame?

LINO.—¡Sí! ¡Llámala!

TOMÁS.—¡Berta! ¡Sal, Berta! ¡Sal de una vez!

> *(Aguarda unos instantes. Corre hacia la cortina.* ASEL *lo detiene, iracundo.)*

ASEL.—¿Fres tú el culpable de que no nos trasladen?

TOMÁS.—¡Suéltame!

ASEL.—¡Responde!

> *(*TOMÁS *se zafa y corre a la cortina, la levanta y mira. Vuelve a mirar, desmoralizado. Se vuelve.)*

TOMÁS.—*(Muy quedo.)* No está.

MAX.—*(Calmoso.)* Pero la puerta no se ha abierto.

> *(*TOMÁS *se abalanza a la puerta y la empuja inútilmente. Después la golpea, frenético.)*

TOMÁS.—¡Quiero salir! ¡Quiero salir!

(*Corren todos a sujetarlo.*)

LINO.—¡Quieto, loco! ¡Van a acudir!
[MAX.—(*En medio del forcejeo.*) Si está mintiendo, poco
le importa. Sabe que a él no le harán nada.]
TOMÁS.—(*Solloza.*) ¡Salir!

      (LINO *le abofetea.* TOMÁS *se derrumba. Van
      soltándolo. Él llora en silencio, de rodillas.*
      MAX *se aparta y se sienta sobre la mesa.*)

MAX.—Empieza a darme asco.

      (*El paisaje se va oscureciendo casi hasta la
      negrura.*)

TOMÁS.—Ella... no ha venido.

      (*Mira hacia el ventanal.*)

ASEL.—¿Lo reconoces?
TOMÁS.—Nunca vino. (*Absorto en la noche que inunda
el paisaje.*) Estoy delirando.
MAX.—Ahórranos tu comedia. Ya no nos vas a embaucar.
TOMÁS.—Pobre de mí.

      (*Oculta la cara entre las manos.* LINO *se aparta
      y se sienta sobre su colchoneta. Silencio.*)

ASEL.—(*Que miraba a* TOMÁS *con vivísima atención.*)
No es una comedia.
MAX.—¡Por favor, Asel! Resulta ya imposible creerle.
ASEL.—Al contrario. Ahora es cuando se le puede creer.
[Y yo deploro todo lo que le he dicho.]

MAX.—¡No lo defiendas más!

ASEL.—[No es una defensa, es un razonamiento.] Si sus alucinaciones fuesen ficticias, habría afirmado que Berta aparecía ante nosotros, aun cuando no la viésemos. O que se abría la puerta y ella huía, aunque la puerta siguiese cerrada.

[MAX.—No. Lleva días simulando un regreso paulatino a la normalidad.

ASEL.—¡Lleva días regresando a la cordura! Si fuese una comedia, nuestra incredulidad le incitaría a fingir una grave recaída. Y eso pensé cuando le oí farfullar en su cama... Nunca estuve más cerca de creer que nos mentía. Y esperaba que siguiese hablando con ella ante nosotros, que nos injuriase por afirmar que no la veíamos...] Eso habría hecho un embustero acorralado. La desaparición de Berta es la realidad que le invade a su pesar... Esa cita ha sido quizá la última tentativa de refugiarse en sus delirios y la crisis definitiva.

LINO.—¿Definitiva?

ASEL.—Él mismo ha dicho que ella nunca vino aquí... No lo dudéis: es imposible que mienta. (Silencio. LINO se levanta, perplejo, y mira a TOMÁS, que ha escuchado a ASEL con emoción creciente. ASEL se acerca a TOMÁS.) Tomás, ¿sabes dónde estamos?

TOMÁS.—(Humilde, baja la cabeza.) Dímelo tú.

ASEL.—No. Dilo tú.

(Corta pausa.)   realisation

TOMÁS.—Estamos en... la cárcel.

ASEL.—¿Por qué?

TOMÁS.—Dilo tú.

ASEL.—No. Tú.

TOMÁS.—Es que... no lo recuerdo bien... todavía.

ASEL.—Acuéstate. Descansa.

(TOMÁS *se levanta y va hacia su cama. Durante un segundo mira el paisaje, ahora oscuro y borroso. Se desabrocha el pantalón, se
sienta en su cama y se lo quita.* LINO *vuelve a
recostarse en su lecho.*)

TOMÁS.—¿Es cierto... que van a matar a Tulio?
ASEL.—Sí.

(Se sienta en su cama.)

TOMÁS.—¿Estaba... condenado a muerte?
LINO.—Sí.

(TOMÁS *se mete en la cama. Silencio.*)

TOMÁS.—¿No podría ser un [simple] traslado?
ASEL.—A los condenados a muerte ya no los llevan a
otra prisión. [Podría ser un traslado abajo...
MAX.—A celdas de castigo.

(Vuelve a su cama.)

ASEL.—Pero entonces nos habrían bajado a todos. Tulio
no hizo nada que no hubiéramos hecho nosotros.]
LINO.—Si lo sacan sólo a él, es porque se va a cumplir la
orden de ejecución.
MAX.—Y además le han ordenado salir con todas sus
cosas.
TOMÁS.—No entiendo...
ASEL.—[En cada prisión lo hacen a su modo. En ésta,]
cuando vas al paredón, tienes que salir con todo lo tuyo... y
dejarlo en oficinas.

LINO.—Si te trasladan a celdas de castigo también te dicen: «Con todo lo que tenga». Cuando oigas esa frase, no te será difícil deducir tu destino.

MAX.—Y si te ordenan salir sin llevar nada, o es para locutorios o para diligencias.

TOMÁS.—¿Diligencias?

ASEL.—Interrogatorios... muy duros... Insoportables.

(TOMÁS *se incorpora y lo mira. Breve pausa.*)

TOMÁS.—¿Estamos condenados a muerte?

(ASEL *vacila en responder.*)

LINO.—Todos.

(Silencio.)

TOMÁS.—Sí... Creo recordar. Explícame tú, Asel.

ASEL.—*(Enigmático.)* ¿Por qué yo?

TOMÁS.—No sé...

(ASEL *va a su lado.*)

ASEL.—Poco importan nuestros casos particulares. Ya te acordarás del tuyo, pero eso es lo de menos. Vivimos en un mundo civilizado al que le sigue pareciendo el más embriagador deporte la viejísima práctica de las matanzas. Te degüellan por combatir la injusticia establecida, por pertenecer a una raza detestada; acaban contigo por hambre si eres prisionero de guerra, o te fusilan por supuestos intentos de sublevación; te condenan tribunales secretos por el delito de resistir en tu propia nación invadida... Te ahorcan porque no sonríes a quien ordena sonrisas, o porque tu Dios no es el suyo, o porque tu ateísmo no es el suyo... A lo largo del tiempo, ríos de sangre. Millones de hombres y mujeres...

TOMÁS.—¿Mujeres?

ASEL.—Y niños... Los niños también pagan. Los hemos quemado ahogando sus lágrimas, sus horrorizadas llamadas a sus madres, durante cuarenta siglos. Ayer los devoraba el dios Moloch en el brasero de su vientre; hoy los corroe el napalm. Y los supervivientes tampoco pueden felicitarse: niños cojos, mancos, ciegos... A eso les hemos destinado sus padres. Porque todos somos sus padres... (Corto silencio.) ¿Habré de recordarte dónde estamos y con cuál de esas matanzas nos enfrentamos nosotros? No. Tú lo recordarás.

TOMÁS.—(Sombrío.) Ya lo recuerdo.

ASEL.—Entonces ya lo sabes... (Baja la voz.) Esta vez nos ha tocado ser víctimas, mi pobre Tomás. Pero te voy a decir algo... Lo prefiero. Si salvase la vida, tal vez un día me tocase el papel de verdugo.

TOMÁS.—Entonces, ¿ya no quieres vivir?

ASEL.—¡Debemos vivir! Para terminar con todas las atrocidades y todos los atropellos. [¡Con todos!] Pero... en tantos años terribles he visto lo difícil que es. Es la lucha peor: la lucha contra uno mismo. Combatientes juramentados a ejercer una violencia sin crueldad... e incapaces de separarlas, porque el enemigo tampoco las separa. Por eso a veces me posee una extraña calma. Casi una alegría. La de terminar como víctima. Y es que estoy fatigado.

(Silencio.)

TOMÁS.—¿Por qué... todo...?

ASEL.—El mundo no es tu paisaje. Está en manos de la rapiña, de la mentira, de la opresión. Es una larga fatalidad. Pero no nos resignamos a las fatalidades y debemos anularlas.

TOMÁS.—¿Nosotros?

ASEL.—Sí. Aunque estemos cansados. *(Baja la voz.)* Aunque nos espante mancharnos y mentir.

TOMÁS.—*(Que está pensando.)* ¿Luchaba yo también?

ASEL.—Sí.

TOMÁS.—¿Contigo?

ASEL.—En cierto modo.

TOMÁS.—Sí. Empiezo a recordar. *(Se pasa la mano por la frente.)* Pero a ti no te recuerdo.

ASEL.—Nunca me viste [antes de venir aquí.] Pero teníamos cierta relación.

TOMÁS.—¿Cuál?

ASEL.—*(Le oprime un hombro.)* Si la recuerdas, yo te ayudaré a comprender lo sucedido.

TOMÁS.—*(Después de un momento.)* Víctimas...

ASEL.—Así es.

[TOMÁS.—¿Sin remedio?

ASEL.—No, no. Con remedio siempre.

TOMÁS.—*(Lo piensa.)* ¿Las conmutaciones?

ASEL.—*(Sonríe.)* Incluso las conmutaciones.

> (MAX *esboza un movimiento de escepticismo y se arrebuja en su cama.)]*

TOMÁS.—Pobre Tulio.

> *(La luz empieza a bajar.)*

LINO.—La luna se esconde. Vamos a dormir.

> *(Se arropa.)*

ASEL.—Descansa, muchacho.

(*Va al fondo y se mete en su cama. Oscuridad casi absoluta. Remota y débil, se oye la canturria de un centinela: «¡Centinela, alerta!». Breves segundos. Otra voz, menos lejana, responde: «¡Alerta el dos!».*)

TOMÁS.—Los centinelas. *guards*
ASEL.—Como todas las noches.
TOMÁS.—Pero yo no quería oírlos.

(*Otra voz, más cercana: «¡Alerta el tres!». Sobre el fondo ya negro y tras el ventanal, una figura lívidamente alumbrada emerge poco a poco. Es* BERTA, *y parece sostener algo en sus manos. Muy alta, casi flotante, la aparición absorbe la atención de* TOMÁS, *que no necesita volver la cabeza para percibirla. Óyese la cuarta voz, muy próxima: «¡Alerta el cuatro!». La imagen de* BERTA *separa los brazos y el derecho, extendido, vuelve su mano. De ella pende un inmóvil ratón blanco suspendido por el rabo. Otra voz, más lejana: «¡Alerta el cinco!». Con expresión dolorida, la imagen suelta el ratón, que cae a plomo. Sólo entonces la cabeza femenina se vuelve hacia* TOMÁS *y lo mira con indecible pena. La luz que ilumina a la figura decrece hasta extinguirse y las tinieblas se adueñan de todo, mientras se oyen, cada vez más lejanos, los gritos del sexto, del séptimo, del octavo centinela. Las cortinas se corren durante breves momentos.*)

II

Cruda luz diurna. El ventanal ha desaparecido tras un lienzo de pared igual al resto de los muros. A la izquierda y en el lugar que ocupaba la cama plegable hay ahora otro petate. Lo único que subsiste de las imaginaciones de TOMÁS es la cortina del chaflán, donde aún se refugia una vaga penumbra.

> (*Sentado sobre su petate,* TOMÁS, *ensimismado. Su pantalón gris es idéntico al de los otros; su blusa, por fuera. Sentado a la cabecera de la cama en su petate,* ASEL *chupetea la pipa vacía. Al extremo derecho de la mesa y sentado sobre el rollo de su petate,* LINO *tamborilea sobre la rejilla. Cerca del extremo izquierdo y asimismo sentado,* MAX, *con las manos enlazadas sobre la mesa. Unos segundos de silencio.*)

[ASEL.—Tomás, una pregunta por última vez. Cualquiera que sea tu respuesta, nada te reprocharé, te lo aseguro. Cuando te llamaron al locutorio, ¿les dijiste a los guardianes algo que no nos hayas contado? Quizá ahora lo recuerdes.

TOMÁS.—No.

> (MAX *insinúa un gesto de incredulidad.*)

ASEL.—Tú cabeza aún está débil... ¿No comentarías con ellos, o te dirían ellos a ti, cosas que hayas olvidado?

TOMÁS.—No. Estoy seguro.

LINO.—(*Reflexiona.*) Entonces...

Asel.—¿Qué?

Lino.—*(Después de un momento.)* Nada.

Tomás.—¿Qué pude o me pudieron decir?

Asel.—No sé.

> (Tomás *lo mira, perplejo. Silencio.*] Tomás *toca su petate, pensativo. Después toma un pellizco de su pantalón y considera la tela.)*

Tomás.—He estado lleno de imágenes asombrosamente nítidas. Y eran falsas. En cambio se me han borrado otras que, según vosotros, son las verdaderas. (Max *lo mira con aire suspicaz.)* [He sufrido alucinaciones... Quizá las sufro todavía.] (Asel *lo mira con interés.)* ¿Estoy loco, Asel? [A eso los médicos le llamáis locura. Pero si lo estoy, ¿cómo lo reconozco?]

Asel.—Supongo que has sufrido lo que los médicos llaman un brote esquizofrénico. Sin embargo, no puedo asegurarte nada porque yo... *(Sonríe.)* no soy médico.

Tomás.—*(Asombrado.)* No es la primera vez que oigo eso. ¿Quién lo dijo antes?... *(Señala a* Lino.) Sí. El ingeniero.

Lino.—Yo no soy ingeniero, Tomás.

Tomás.—¿Tampoco?

Lino.—Soy tornero.

Tomás.—¿Tornero?

> (Lino *asiente.)*

Asel.—Y tú siempre le entendías ingeniero. Nos cambiabas los oficios... Porque yo sí soy ingeniero.

Tomás.—¿Tú?

Max.—[No pongas esa cara.] Siempre lo has sabido.

TOMÁS.—Te aseguro que no...

MAX.—*(A los otros dos.)* No le puedo creer.

TOMÁS.—¿Tampoco eres tú matemático?

MAX.—*(Irónico.)* Según se mire. Números por todas partes, sí... Pero de cálculo integral, nada. Un pobre tenedor de libros, como tú sabes muy bien.

LINO.—Antes le creías.

MAX.—Pues ya no le creo.

(Breve pausa.)

TOMÁS.—*(A* ASEL.*)* ¿Por qué me empeñaría en que tú fueras médico?

[ASEL.—Yo ideé toda esa historia del enfermo en la cama para aprovechar el rancho del muerto...

LINO.—Que buena falta nos hacía.]

ASEL.—[Pero] sospecho que te inventaste un médico porque lo necesitabas. [Era otro buen indicio, que me alegró.] *(Sonríe.)* Y procuré no ser demasiado mal médico para ti.

LINO.—¿Vino realmente Berta a locutorios?

TOMÁS.—*(Se levanta, turbado. Da unos pasos.)* Sí. Me costó trabajo reconocerla. [Mal peinada,] mal vestida... Desmejorada. [Lo estará pasando muy mal.] *(Pasea, reprimiendo su emoción.)* Estudiaba técnicas de laboratorio. Pero ninguna Fundación la ha becado... Acababa de perder su empleo cuando me detuvieron.

ASEL.—¿Recuerdas eso?

TOMÁS.—*(Mira por la ventana invisible.)* Sólo la tengo a ella en el mundo. De niño me quedé sin padres y nadie me costeó estudios. He trabajado en mil cosas, he leído cuanto he podido. Quería escribir. Y ella me animaba... No me atreví a complicarla en nada. La habrán interrogado de todos modos y acaso la hayan golpeado. Berta... Quizá no la vuelva a ver.

(*Una pausa. Abstraído,* LINO *inicia sus canturreos. Desde la rejilla de la sobrepuerta llega una voz metálica.*)

VOZ.—Atención. El C-96, preparado para locutorios.

(LINO *calla.* TOMÁS *levanta la cabeza.*)

MAX.—*(Se levanta.)* ¡Es a mí!
VOZ.—Atención. Preparado para locutorios el C-96.
MAX.—*(Alegre, mientras se pasa los dedos por el cabello para alisárselo.)* ¡Tengo visita!
TOMÁS.—*(A los otros.)* Será su madre...
MAX.—¡Claro! ¡Mi madre!

(*Corre a la puerta para escuchar.*)

LINO.—*(Pensativo.)* Luego no estamos incomunicados con el exterior.
MAX.—¡Pues no! Después de la visita de Tomás, la mía lo confirma. ¡Quizá vengan mañana tus padres, Lino!
LINO.—Ojalá.
MAX.—*(Escucha.)* Calla.
ASEL.—*(Para sí.)* Sin embargo, no es lógico.
MAX.—¡Yo creo que sí! Se han limitado a aislarnos [en la celda] por unos días en atención a que estamos condenados a la última pena.

(ASEL *lo mira, incrédulo.*)

LINO.—Quizá te traiga comida...

MAX.—Nos vendría muy bien, pero no sé. La pobre apenas puede.

LINO.—*(Pesimista.)* O tal vez traiga y no se la admitan...

MAX.—¡Ya están aquí!

(*Ruido de llave. Se abre la puerta a medias. Al fondo se columbra el panorama de las celdas. El* AYUDANTE *está en el quicio y viste uniforme negro, gorra de visera y correaje del que pende una pistolera.*)

AYUDANTE.—C-96, a locutorios.

MAX.—Sí, señor.

(*Sale y la puerta se cierra. Una pausa.*)

TOMÁS.—*(Se sienta en el petate de* MAX.) De uniforme.

LINO.—¿El ayudante?

TOMÁS.—Sí.

LINO.—Siempre vino de uniforme.

(*Se levanta y pasea, caviloso.*)

ASEL.—Ya ves que tu trastorno era pasajero.

(LINO *se encarama de un salto a la cama de hierro y se sienta a los pies de* ASEL.)

LINO.—Oye, Asel...

(ASEL *le indica que se calle.*)

TOMÁS.—*(Sigue el hilo de sus reflexiones.)* ¿Por debilidad?

LINO.—Escucha, Asel...

ASEL.—Después. *(A* TOMÁS.*)* Por debilidad y para huir de una realidad que te parecía inaceptable.

TOMÁS.—No sigas...

LINO.—*(Impaciente.)* ¡Te quisiste matar! Lo sabe toda la prisión.

ASEL.—¡No, Lino! Así, no.

LINO.—¡Sí, hombre! Hay que acortar etapas.

TOMÁS.—*(Se levanta.)* ¡Es cierto! Me quise tirar por esa barandilla...

> *(Señala a la puerta.)*

ASEL.—*(Salta al suelo y se le acerca.)* ¡Y yo lo impedí! *(Muy afectado,* TOMÁS *lo mira y se aleja unos pasos.* ASEL *va tras* TOMÁS *y lo toma de un brazo.)* ¡Calma! Si te acuerdas de todo, calma.

TOMÁS.—*(Se desprende, angustiadísimo.)* ¡Yo os denuncié!

LINO.—*(Se sienta sobre el petate de* ASEL.*)* ¿Qué?...

ASEL.—¡Sí, nos denunciaste! [Estabas más cerca de la cabeza de lo que suponías. Lo supiste después.]

TOMÁS.—¡Y tú caíste por mi culpa, Asel!

ASEL.—¡Yo y otros, sí!

TOMÁS.—*(Se ahoga.)* ¡Y nos condenaron a muerte!

ASEL.—*(Le sujeta por los brazos.)* ¡Te dije que te ayudaría a comprender! ¡Serénate!

TOMÁS.—*(Baja la cabeza.)* He comprendido.

ASEL.—¡No has comprendido nada! Te faltan veinte años para comprender. (TOMÁS *se apoya en la mesa, con un rictus de dolor.)* ¿Qué te pasa?

TOMÁS.—Me siento mal... Me duele...

ASEL.—Pasará.

TOMÁS.—El vientre.

> *(Desencajado, mira la cortina. Corre como un beodo y se oculta tras ella.* ASEL *menea la cabeza con melancolía y se recuesta en la mesa.)*

ASEL.—No te desmorones, muchacho. Te sorprendieron repartiendo octavillas, delataste a quien te las dio, él delató a su vez y nos atraparon a todos. ¿Me oyes, Tomás?

TOMÁS.—*(Su voz.)* Sí.

ASEL.—[Hablaste porque] no pudiste resistir el dolor.

TOMÁS.—*(Su voz.)* Soy un ser despreciable.

ASEL.—*(Deniega.)* Eres un ser humano. Fuerte unas veces, débil otras. Como casi todos.

LINO.—Pero delató.

ASEL.—*(Seco.)* ¿Y qué?

> *(*LINO *se encoge de hombros: él ya ha juzgado.)*

TOMÁS.—*(Su voz.)* Un traidor.

ASEL.—Estamos cerca de la muerte. Palabras como ésa ya no me dicen nada.

TOMÁS.—*(Su voz.)* ¡No puedo perdonarme!

ASEL.—Por eso te quisiste matar. Y por eso, cuando yo lo evité, tu mente creó la inmensa fantasía de la Fundación: desde el bello paisaje que veías en el muro hasta el rutilante cuarto de baño.

> *(La cortina se eleva y desaparece en la altura. Al tiempo, la luz del rincón se iguala con la de*

la celda. En el ángulo, sucio y costroso de humedad, no hay más que un retrete sin tapadera con su alto depósito, su botón para descargarlo y, a media altura, un grifo sobre un escurridero de metal. A un lado, la vieja escoba; al otro, papeles arrugados por el suelo. Muy pálido, TOMÁS *está acuclillado sobre la taza, con un papel en la mano del que, sin duda, acaba de servirse. Nada más levantarse la cortina, mira a sus compañeros y se lanza al suelo, avergonzado, tirando el papel a la taza y subiéndose el pantalón.)*

TOMÁS.—*(Se abrocha torpemente.)* Me veíais...

LINO.—Y tú a nosotros. Aquí todos estamos hartos de vernos las nalgas.

ASEL.—Pero tú te creías oculto por alguna puerta, o alguna cortina... (TOMÁS *asiente.)* ¿Hasta ahora mismo?

TOMÁS.—Sí.

LINO.—El pudor... ¡Je! Qué lujo.

ASEL.—Acabas de perder tu último refugio. Ya estás curado.

LINO.—Descarga el agua.

TOMÁS.—Sí.

(Oprime el botón. El depósito se descarga. Sin atreverse a mirar a ASEL, TOMÁS *se enfrenta a* LINO *con ojos humildes y éste le devuelve una dura mirada. Entonces cruza y va a sentarse al petate de la derecha, dándoles la espalda.)*

ASEL.—Tomás, nadie puede ser fuerte si no sabe antes lo débil que es.

[TOMÁS.—Por favor, no digas nada.

ASEL.—¿Crees que intento consolarte como a un niño?
No. Sólo quiero afianzar tu curación.

TOMÁS.—¿Para qué?...

ASEL.—Trastornado, no sirves; en tus cabales, sí.]

TOMÁS.—¡Tú caíste por mi culpa!

ASEL.—Yo y los mejores hombres que aún quedaban.
(Se acerca a él. TOMÁS *oculta el rostro entre las manos.)*
Una catástrofe. [Antes de enloquecer has tenido tiempo de
ver ciertas miradas de desprecio en esta misma prisión. Algún compañero llegó a insultarte en el patio...] *(Se acerca
un poco más.)* Pero no pudiste resistir el dolor.

LINO.—¡Debió resistir!

ASEL.—¿Debió? *(Sonríe.)* Actitudes tajantes, solemnes
palabras: traición, traidor... Tú se las lanzas y él las reclama.
En el fondo, los dos sois iguales: dos chicuelos. ¿Te han
torturado a ti alguna vez?

LINO.—Una buena somanta ya me han dado.

ASEL.—Entonces cállate, porque eso no es nada. *(Se
sienta sobre la mesa.)* Y escucha lo que le voy a decir a Tomás... *(A* TOMÁS.) A mí me han torturado. La primera vez,
hace muchos años... Mi deber, lo sabía igual que vosotros:
callar. *(Breve pausa.)* Pero hablé y mi delación costó, al
menos, una vida. (TOMÁS *levanta la cabeza sin volverse.*
LINO *no pierde palabra.)* ¡Qué sorpresa! ¿Eh? Un compañero [tan respetado y] tan firme como Asel, [¿delataría bajo
el dolor físico?] ¡Imposible pensarlo! Pues Asel delató. Su
carne delató, después de chillar y chillar como la de un ratoncillo martirizado. Y ahora, decidme vosotros qué es Asel:
¿un león o un ratoncillo? *(Breve pausa.)* El patio de esta
cárcel se llena todos los días de ingenuos que lo tienen por
un león. Pero él sabe, desde entonces, que siempre puede
portarse como un ratoncillo. Todo depende de lo que le ha-

gan. Y [que no tiene el derecho de despreciar a ningún otro ratoncillo.] *(Se sienta algo más cerca de* TOMÁS.) [Porque] su mayor temor sigue siendo ése. Año tras año, lo que le quita el sueño es que se sabe como un molusco blando y sensible entre los dientes de un mundo de hierro. [Algo se ha curtido, cierto. A veces, ha resistido. Pero sabe que no podría resistir indefinidamente.] Y así lleva media vida..., temblando de miedo... y de remordimiento por aquel desdichado... a quien sus palabras mataron. *(A* LINO.) Sé lo que piensas, jovencito. *(Va a su lado.)* Yo he sido como tú, y no sólo como Tomás... Piensas que un hombre con tanto miedo no debe actuar. (LINO *desvía la vista.)* Claro. Hay que pensarlo, y creer en que se puede callar aunque lo destrocen a uno vivo. [Son las consignas... Los deberes.] Pero todos tenemos miedo y todos podemos llevar dentro un delator y, sin embargo, hay que actuar. ¡Ya sé que no hay que decirlo, que no os debo desmoralizar! Pero en una ocasión muy especial, como ésta..., hay que ser humildes y sinceros. *(Pasea un poco, se vuelve hacia* TOMÁS.) Tomás, me he visto en ti y he querido salvarte. Yo lo logré y tú debes lograrlo. *(Se acerca, le pone una mano en el hombro.)* No te avergüences ante mí de tu debilidad; no es mayor que la mía. (LINO *lo mira, caviloso. Salta de la cama y abre el grifo del rincón para beber.* TOMÁS *estalla en repentinos sollozos y, sin volverse, le toma a* ASEL *la mano que éste le puso en el hombro.)* ¡No, hombre! ¡Sin llorar!

> *(Se aparta y pasea.* LINO *cierra el grifo, se vuelve a mirarlos y se enjuga los labios en una manga. Después va al frente y mira por la ventana invisible. Al pasar* ASEL *por detrás lo retiene un instante por un brazo, sin volverse.)*

LINO.—Para diputado no tenías precio.

(*Risueño,* ASEL *le da una palmada en el hombro y se sitúa a su lado, mirando también al
exterior.*)

ASEL.—Ya no es fácil que lo llegue a ser. ¿Qué querías
decirme antes?
LINO.—Una ideílla que me inquietaba... Pero iba desca-
minado. [De buena fe y] medio chiflado todavía, es evidente que Tomás les dijo algo a los guardianes. Si os delató
antes, también ahora habrá sido el delator.

(TOMÁS *levanta la cabeza y los mira con
asombro.*)

[ASEL.—*(Lento.)* ¿Delator, de qué?
LINO.—Tú lo sabrás... Yo no estoy en el juego.]

(TOMÁS *se levanta, denegando.* ASEL *aferra a*
LINO *por un brazo y lo arrastra hacia atrás.*)

ASEL.—¿A qué te refieres?
LINO.—Le has preguntado varias veces si era el culpable
de que no nos trasladasen a celdas de castigo... Si había dicho algo... que te preocupa y que yo ignoro.
TOMÁS.—*(Se adelanta.)* ¡No! Asel, [en mi cabeza ya no
quedan nieblas...] Me acuerdo de ese proyecto. Pero a ellos
no les he dicho nada.
LINO.—¿Un proyecto?
TOMÁS.—Que tú no conoces. Tulio sí lo conocía, también lo recuerdo. *(A* ASEL.) Todo habla contra mí, pero te
juro que nada he dicho. Puedo enloquecer, pero mentirte,
no... Mentirte, no.

LINO.—Cualquiera sabe.

ASEL.—Dice la verdad. [Si mintiese, otro habría sido su comportamiento. No habría reconocido su trastorno ni su culpa.

LINO.—¿Estás seguro?

ASEL.—Y tú. Tan claro como la luz del día.]

LINO.—*(Va a la mesa y se sienta en el petate de la izquierda.)* Es posible. Pero entonces... yo no he pensado ninguna tontería.

ASEL.—*(Se sienta en el borde de la mesa.)* Explícate.

LINO.—Tú querías que nos trasladasen a celdas de castigo.

(TOMÁS *se sienta al otro lado de la mesa.)*

[ASEL.—¿Por qué?

LINO.—¡Vamos, Asel! Las ganas de lograr ese traslado no las has podido disimular.]

ASEL.—[Es que] me alarmaba la falta de lógica...

LINO.—¿Me crees tonto? Te alarmaba que no nos trasladasen. Los nervios, la irritación y hasta ciertas palabras sospechosas se te han escapado muchas veces.

ASEL.—*(Mirándolo con leve inquietud, sonríe y suspira.)* Bien... [Admitámoslo. En nuestras circunstancias es difícil no errar... Habría que ser una máquina.] Admitamos que propuse la treta de hacer pasar por enfermo al muerto por dos razones: la primera, remediarnos algo con su comida. Y la segunda... Sí. Lograr [el castigo de] nuestro traslado a los sótanos.

LINO.—Y no nos trasladan, y tú piensas que alguien les ha puesto en guardia.

ASEL.—Tulio no pudo ser. Ni Tomás... [Precisamente por su flaqueza anterior nunca lo habría dicho.]

LINO.—Sólo quedamos dos.

[ASEL.—No sabíais nada.

LINO.—Pero nos habíamos percatado muy bien de que ansiabas ese traslado.]

ASEL.—*(Deniega, pensativo.)* Tú tampoco, es evidente... *(Murmura.)* ¡Será posible!

[TOMÁS.—Puede suceder que los otros hayan sufrido algún percance...

ASEL.—Sería demasiada coincidencia, y habrían buscado la manera de avisarme.]

LINO.—[No sé de quiénes habláis, pero] para mí no hay duda: Max. Hace días que lo sospecho.

ASEL.—*(Con ademán consternado.)* ¿Por qué?

LINO.—¿Y por qué un soplón es un soplón? (ASEL *lo mira, caviloso.* LINO *baja la voz.*) Le vi un día hablando con un guardián. Se reían.

[TOMÁS.—Le llevaría el aire.

LINO.—Él siempre lleva el aire. También a ti te lleva el aire mejor que nadie, hasta que dijo que ya no te creía.,,

ASEL.—Es grave lo que dices.

LINO.—¡Aquel día] lo habían llamado, como hoy! Pero no estaba en locutorios. Desde la puerta del patio lo vi pasar, [aprisa y riéndose, con el guardián.

ASEL.—¿Al fondo del rastrillo?

LINO.—Sí, y hacia la derecha.] ¡No hacia locutorios, sino hacia la oficina!

TOMÁS.—Pudieron llamarlo por cualquier motivo.

ASEL.—*(Caviloso.)* Pero no nos lo dijo.

LINO.—No. [Al volver al patio] dijo [solamente] que venía de ver a su madre.

ASEL.—¿Estás seguro de que era él?

LINO.—Seguro. Pero hay más...

ASEL.—¡Di!

LINO.—*Patapalo.* El cojo que está en una de las celdas de ahí enfrente. Y que es un as en eso de levantar la mirilla desde dentro... Hará como diez días me dijo algo en el patio. [Somos amigos; caímos juntos.] Y no es ningún mentiroso.

ASEL.—Es un hombre cabal.

LINO.—Pues el día anterior Max había tenido una de sus visitas. Y *Patapalo* lo vio volver a esta celda..., [despacito...,] atracándose de [cosas que traía en] su paquete..., mientras el guardián esperaba [para abrir a que terminase,] muy divertido.

ASEL.—[Está feo, pero] cualquiera puede tener una flaqueza [por los pasillos] si acaba de recibir un paquete.

[LINO.—Tú no. Ni yo.

ASEL.—No estés tan seguro.]

LINO.—¿Y la risita del guardián, [esperando a que terminase de zampar?] Con ninguno de nosotros habría esperado.

ASEL.—Eso es cierto...

LINO.—Él es el soplón. Aquí todos nos hemos enfurecido alguna vez. ¡Incluso tú, Asel! Él, nunca. Siempre tranquilo, chistoso... Tenía una seguridad que nos falta a los demás.

ASEL.—¿Por qué no nos informaste [a tiempo] de todo eso?

LINO.—*(Gruñe.)* Yo nunca me he fiado de nadie. *(Baja la voz.)* Ni de ti.

(Pausa.)

ASEL.—Va a volver.
LINO.—Y pronto.

(Va hacia la puerta para escuchar.)

ASEL.—*(Nervioso.)* Nos queda poco tiempo. *(Se levanta.)* Es necesario que compartas el plan, Lino. Si nos hubiesen trasladado os lo habría explicado abajo. Pero algo sospechan, no hay duda. Sospechan de mí [y no de vosotros. Tú fuiste el último en venir, Lino, y a Tomás... lo creen chiflado.] Max les habrá dicho [tan sólo] que yo quiero ir a celdas de castigo... He sido imprudente y ya no me dejarán pisarlas, pero quizá a vosotros sí, más adelante, si se os ocurre algo para que os castiguen. Si lo conseguís, tenéis una posibilidad de escapar.

(Se detiene a escuchar junto a la puerta.)

LINO.—*(Con exaltación.)* ¿De evadirnos? ¡Ya estás hablando!

ASEL.—*(Los reúne.)* Mi profesión me dio hace tiempo la oportunidad de conocer los planos de toda esta zona. Y del edificio. Las celdas de castigo no están junto al muro exterior; no hay que temer cimientos gruesos. Son sótanos, con ventanucos a uno de los patios. A un metro tan sólo de profundidad y a unos dos metros aproximadamente tras la pared opuesta al ventanuco..., o sea, hacia fuera de la celda, ¿comprendéis?... *(Acciona.)* cruza una alcantarilla. Si se horada el túnel desde el borde de esa pared, con una inclinación de unos veintisiete grados *(Sus manos dibujan en el aire el triángulo.)*, a los dos metros y veinticinco centímetros, más o menos, se llegará al muro de la alcantarilla. Si se le agujerea, hay que caminar por ella hacia la derecha. A unos veinte metros es casi seguro que hay una reja. Hay que limarla. Una vez atravesada, se entra en el colector del norte. [Allí hay que tener ojo: puede haber poceros.] Lo mejor es caminar hacia la izquierda y probar alguno de los pozos de salida. Es paraje poco vigilado.

LINO.—*(Atónito.)* ¿Te has vuelto loco?

ASEL.—No.

LINO.—¿Con qué se hace eso? ¿Con las uñas?

ASEL.—*(Entre los dos, se apoya en la mesa.)* ¿Habéis retenido el ángulo, la dirección?

TOMÁS.—El hueco, mitad en el suelo y mitad en la pared opuesta al ventano, para poder cubrirlo con un petate. [¿Es lo mejor?]

ASEL.—Exacto.

TOMÁS.—Veintisiete grados de inclinación y unos dos metros y veinticinco centímetros hasta la alcantarilla.

ASEL.—Pero, ¡mucho cuidado! Sólo puede resultar desde las celdas 14 o 15. Si os llevan a otra, no es posible.

LINO.—¿Por qué?

ASEL.—Son las dos únicas cuyos tragaluces dan al mismo patio donde están las ventanas del retrete de la segunda galería común.

LINO.—¿Y qué?

ASEL.—*(Baja la voz.)* En la galería hay dos compañeros a toda prueba. No hace falta que sepáis sus nombres. Han logrado pasar y esconder una lima, una barra de hierro, una cuerda y una espuerta. La barra, para excavar el túnel. Las cucharas también valen: son duras. Todas las noches, después del último recuento, uno de ellos va al retrete y se está allí una media hora. Si oye en el suelo tres golpes y uno más, así: pan-pan-pan; pan..., localizará de cuál de las dos celdas vienen y descolgará la espuerta con las herramientas hasta el ventanuco.

LINO.—¿Y el ruido?

ASEL.—Hay que trabajar toda la noche y dormitar lo que se pueda durante el día. Todo ese subsuelo es muy terroso; pasados el muro y el piso, la resonancia es pequeña.

TOMÁS.—¿Y los escombros?

ASEL.—La espuerta subirá durante la noche cuantas cargas pueda. Ellos tampoco dormirán. [Lo que quede, al agujero otra vez y bajo los petates.]

LINO.—¿Y si cachean?

ASEL.—En esas celdas no suelen hacerlo. Las creen muy seguras.

TOMÁS.—¿Dónde meterán ellos las piedras y la tierra?

ASEL.—Lo que no puedan desperdigar por los retretes y las ventanas exteriores, en los cajones de la basura. En el basurero general siempre hay cascotes porque están edificando el ala oeste. [Si los barrenderos de la galería se callan —y lo harán aunque no entiendan nada, porque son compañeros— todo irá adelante.]

LINO.—¿Cuántos días calculas para cavar el túnel?

ASEL.—Entre dos... Unas seis noches, quizá.

[TOMÁS.— Sacando fuerzas de flaqueza...

ASEL.—Sí.]

TOMÁS.—Con el peligro constante de que nos sorprendan, de que atrapen a los compañeros de la galería...

ASEL.—Con un peligro mayor aún: la ejecución antes de lograr ese traslado.

[TOMÁS.—A Tulio y a mí nos confiaste ese proyecto. Pero ahora, explicado a fondo..., lo veo imposible.

ASEL.—¿Y tú, Lino?]

LINO.—¡Se puede intentar! Y además, si lo conseguimos, yo sé adónde ir.

TOMÁS.—*(Se levanta y pasea, desasosegado.)* ¡Es absurdo, Asel! ¡Eso no es la libertad, sino el infierno! [Cavar como topos en un túnel negro donde ni puedes moverte...

Sin fuerzas, sin comida...] Hundirse en la tierra para morir
agotados en la oscuridad, o bajo un derrumbe... ¡Devorados
por la fiebre, perdidas las pocas energías que nos restan!...
Es increíble. Una ilusión.

ASEL.—¡Es tan increíble como la libertad! Ese túnel será
el infierno si no crees en ella.

TOMÁS.—¡Nos oirán, nos sorprenderán!

ASEL.—¿Prefieres el paredón?

      (TOMÁS *se detiene, inmutado.*)

LINO.—¡Métetelo en la sesera, novelista! Puede pen-
sarse, luego puede hacerse.

TOMÁS.—*(Débil.)* Ni siquiera lograremos que nos trasladen...

LINO.—Ya veremos.

      (TOMÁS *se sienta, sin fuerzas, en la cama de
hierro.*)

TOMÁS.—*(A* ASEL.*)* Si tú pudieras venir con nosotros...

ASEL.—Sospecho que he perdido la partida. Pero vosotros dos la podéis ganar. ¡Pensadlo!

[LINO.—¿Por qué no han intentado escapar esos compañeros de la galería?

ASEL.—No se puede entrar en celdas de castigo con las
herramientas. Cachean antes. Y ellos no están condenados
a muerte... todavía.

TOMÁS.—¿Nos ayudan abnegadamente?

ASEL.—Así es.]

      (Silencio.)

LINO.—¿Qué hacemos con Max?

TOMÁS.—Habría que cerciorarse... Si nos equivocásemos...

LINO.—*(Pasea.)* ¿Después de lo que os he contado?

ASEL.—Y la visita de Berta a Tomás lo confirma.

TOMÁS.—¿Por qué?

ASEL.—Él les informaba cuando le llamaban a locutorios. Para seguir llamándolo sin levantar [nuestras] sospechas, autorizaron antes la visita de tu novia.

LINO.—Y ahora está informando... Aunque de nada concreto, por fortuna.

ASEL.—[Disponemos de poco tiempo.] Escuchadme bien: hay que disimular. Nuestra inferioridad de condiciones nos obliga a la astucia. Si enseñamos nuestras bazas *(Leve sonrisa hacia* TOMÁS*)* la Fundación nos aplastará sin contemplaciones.

LINO.—¡Asel, hay que anular a los chivatos! Si son un arma de la Fundación... *(Se interrumpe.)* ¡Bueno! ¡Ya estoy yo hablando también de la Fundación!

ASEL.—Sigue.

LINO.—¡Precisamente por nuestra inferioridad de condiciones, hay que anular implacablemente cualquier arma del enemigo!

ASEL.—¡No en la cárcel! ¡Las represalias son siempre más duras!

LINO.—Pero, ¿no comprendes...?

ASEL.—¡Tú no comprendes! Eres joven y ardes en ganas de actuar. Yo llevo muchos años en esto y sé que no es lo más práctico. Para proteger a los compañeros de la galería, para conseguir la evasión, hay que ser cautos.

[LINO.—¿Y permitir que esa rata siga espiando?

ASEL.—¡Lo hará sin resultado! Prevendremos a toda la prisión.]

LINO.—¡También es práctico desenmascararlo y hacerle temblar! Si comprueban que hemos descubierto a uno de sus chivatos, lo anulan, porque ya no les sirve. ¡Y disminuimos su fuerza!

ASEL.—¡La redoblamos! Les incitamos a que nos corten el poco resuello que nos dejan. *(Sonríe con tristeza.)* Lino, he vivido muchas derrotas provocadas por no haber medido bien la pobreza de nuestros medios... Pero nadie escarmienta en cabeza ajena... Estás muy callado, Tomás. ¿Qué opinas tú?

TOMÁS.—No sé qué decir. Es todo tan complicado...

[LINO.—Para mí, no. Yo le arrancaré la careta.

ASEL.—¡Provocarás una catástrofe!]

LINO.—[¡Para forzarle a confesar] hay que acosarlo ahora! Inmediatamente después de la supuesta visita de su madre.

TOMÁS.—¿Por qué?

LINO.—Se me ha ocurrido una trampa...

ASEL.—¿Cuál?

LINO.—¡Dejadme pensarla bien!

(Se sienta, caviloso.)

[ASEL.—No quieres decírmela... Te temo.

(LINO se encoge de hombros.)

TOMÁS.—Habría que pensar algo... Pero no tenemos tiempo.

ASEL.—*(Suspira.)* No. Lino no quiere dárnoslo.

LINO.—*(Por MAX, señalando a la puerta.)* ¡Él no nos da tiempo!]

ASEL.—¡Lino, hazme caso! ¡No lo hagas!

LINO.—¡Déjame pensar!

ASEL.—Piénsalo... Pero bien.

(*Pausa.*)

TOMÁS.—Ya no tardará.

ASEL.—No.

(*Chupa su pipa.* LINO *modula, muy quedito, sus canturrias.*)

TOMÁS.—Asel.

ASEL.—¿Qué?

TOMÁS.—¿Nunca te has preguntado si todo esto es... real?

ASEL.—¿La cárcel?

TOMÁS.—Sí.

ASEL.—¿Quieres volver a la Fundación?

TOMÁS.—Ya sé que no era real. Pero me pregunto si el resto del mundo lo es más... También a los de fuera se les esfuma de pronto el televisor, o el vaso que querían beber, o el dinero que tenían en la mano... O un ser querido... Y siguen creyendo, sin embargo, en su confortable Fundación... Y alguna vez, desde lejos, verán este edificio y no se dirán: es una cárcel. Dirán: parece una Fundación... Y pasarán de largo.

ASEL.—Así es.

TOMÁS.—¿No será entonces igualmente ilusorio el presidio? Nuestros sufrimientos, nuestra condena...

ASEL.—¿Y nosotros mismos?

TOMÁS.—(*Desvía la vista.*) Sí. Incluso eso.

ASEL.—Todo, dentro y fuera, como un gigantesco holograma desplegado ante nuestras conciencias, que no sabemos si son nuestras, ni lo que son. Y tú un holograma para mí, y yo, para ti, otro... ¿Algo así?

TOMÁS.—Algo así.

ASEL.—Ya ves que lo he pensado. (LINO *los miró, estupefacto, y aparta de sí con un desdeñoso manoteo tales lucubraciones para engolfarse en su cavilación.* ASEL *sonríe.*) A Lino le parece una tontería... Pero yo sí lo he pensado.

TOMÁS.—Y si fuera cierto, ¿a qué escapar de aquí para encontrar la libertad o una prisión igualmente engañosa? [La única libertad verdadera sería destruir el holograma, hallar la auténtica realidad..., que está aquí también, si es que hay alguna... O en nosotros, estemos donde estemos... y nos pase lo que nos pase.]

ASEL.—*(Después de un momento.)* No.

TOMÁS.—¿Por qué no? *(Largo silencio.)* ¿Por qué no, Asel?

ASEL.—Tal vez todo sea una inmensa ilusión. Quién sabe. Pero no lograremos la verdad que esconde dándole la espalda, sino hundiéndonos en ella. *(Con una penetrante mirada.)* Y yo sé lo que te pasa en este momento.

TOMÁS.—*(Trémulo.)* ¿El qué?

ASEL.—No es que desprecies la evasión como otra fantasía, sino que te acobardan sus riesgos. No es desdén ante un panorama quizá ficticio, sino temor. Así, no vale. (LINO *baja la cabeza.* ASEL *sonríe.*) [Duda cuanto quieras, pero no dejes de actuar. No podemos despreciar las pequeñas libertades engañosas que anhelamos, aunque nos conduzcan a otra prisión... Volveremos siempre a tu Fundación, o a la de fuera, si las menospreciamos. Y continuarán los dolores, las matanzas...

TOMÁS.—Acaso ilusorias...

ASEL.—Eso se lo tendrías que preguntar a Tulio. Aunque sea otro holograma... al que ya han destruido.]

TOMÁS.—*(Turbado.)* [Perdona.] Mi Fundación aún me tiene atrapado. *(Se sienta.)*

ASEL.—No, tú ya has salido de ella. Y has descubierto una gran verdad, aunque todavía no sea la definitiva verdad. [Yo la encontré hace años, cuando salí de una cárcel como ésta. Al principio, era un puro deleite: deambular sin trabas, beberme el sol, leer, disfrutar, engendrar un hijo... Pronto noté que estaba en otra prisión.] Cuando has estado en la cárcel acabas por comprender que, vayas donde vayas, estás en la cárcel. Tú lo has comprendido sin llegar a escapar.

TOMÁS.—Entonces...

ASEL.—¡Entonces hay que salir a la otra cárcel! *(Pasea.)* ¡Y cuando estés en ella, salir a otra, y de ésta, a otra! La verdad te espera en todas, no en la inacción. Te esperaba aquí, pero sólo si te esforzabas en ver la mentira de la Fundación que imaginaste. Y te espera en el esfuerzo de ese oscuro túnel del sótano... En el holograma de esa evasión.

TOMÁS. Me avergüenzo de haber delirado tan mal.

ASEL.—Estabas asustado... Te inventaste un mundo de color de rosa. No creas que demasiado absurdo... Estos presidios de metal y rejas también mejorarán. Sus celdas tendrán un día televisor, frigorífico, libros, música ambiental... A sus inquilinos les parecerá la libertad misma. Habrá que ser entonces muy inteligente para no olvidar que se es un prisionero.

(Pausa.)

TOMÁS.—Hay que discurrir algo para bajar los tres a los sótanos. Contigo al lado [me atreveré a todo.] Preferiré el túnel al paisaje.

ASEL.—*(Le pone una mano en el hombro.)* Nunca olvides lo que voy a decirte. [Has soñado muchas puerilidades, pero] el paisaje que veías... es verdadero.

TOMÁS.—*(No comprende.)* También se ha borrado...

ASEL.—Ya lo sé. No importa. El paisaje sí era verdadero.

> (TOMÁS *lo mira,* LINO *alza la cabeza y escucha; se levanta y corre a la puerta.)*

LINO.—¡Se acercan! Y ya tengo mi trampa. Hay que decirle que también a mí me han llamado a locutorios y...

ASEL.—*(Corre a su lado y le aferra un brazo.)* ¡Eso es muy endeble!

LINO.—*(Se desase.)* ¡Tú déjame hacer!

TOMÁS.—No sabré mirarle a los ojos.

> (Busca sobre la mesilla el libro viejo y se sienta a la derecha de la mesa, abriéndolo ante sí.)

LINO.—¡Ya están aquí!

> (Se aparta de la puerta y se recuesta en el borde de la mesa. Ruido de llave. Con un ademán de contrariedad, ASEL sube al lecho y se sienta en su petate. La puerta se entreabre y entra MAX, sonriente. Se cierra la puerta.)

MAX.—¡Hola!

ASEL.—¿Cómo has encontrado a tu madre?

MAX.—[Pobrecilla.] Hecha una pavesa. Pero animosa. *(Melancólico.)* [Convencida de que sus gestiones lograrán mi conmutación... Ojalá no se equivoque.]

LINO.—¿Te ha traído comida?

MAX.—*(Ríe, avanza y le palmea en el hombro.)* ¡Tú tenías que preguntarlo, hambrón! *(Suspira.)* No le han admitido el paquete. [Han dicho que ya era demasiada condescendencia permitirnos visitas.] *(Cruza. Se apoya en un hombro de* TOMÁS.) ¿Tú lees eso?

TOMÁS.—*(Sin levantar la vista.)* ¿Qué quieres? Me aburro.

MAX.—*(Se sienta a su lado.)* Eran más bonitos los libros de pintura, ¿verdad?

TOMÁS.—*(Avergonzado.)* Por favor...

MAX.—¿Los veías realmente?

TOMÁS.—Me lo parecía.

MAX.—*(Irónico.)* Te lo parecía... Bien, hombre. Como quieras.

> *(Y mira, escéptico, a* ASEL. *Después pasea hacia la izquierda. A su espalda,* LINO *se incorpora: va a hablar.* ASEL *lo advierte, salta de la cama y lo sujeta, denegando; pero* LINO *se desprende.)*

LINO.—¿Has estado hasta ahora mismo en el locutorio, Max?

MAX.—Naturalmente. ¿Dónde, si no?

LINO.—Pues es muy raro.

MAX.—¿Por qué?

LINO.—Porque no te he visto.

MAX.—¿Tú?

LINO.—Me han llamado [cinco minutos] después de llamarte a ti. Mis padres han venido. Y tú allí no estabas. Ni tu madre.

(*Breve pausa.* ASEL *finge arreglar algo en su
petate.*)

MAX.—¿Qué juego es éste, Asel?

ASEL.—Si no lo sé, Max... Lino también acaba de llegar.

MAX.—(*Cruza y le pone una mano en el hombro a* TO-
MÁS.) Tomás, ¿ha tenido visita Lino?

TOMÁS.—(*Con dificultad.*) Sí.

MAX.—(*Ya no duda de que sospechan; intenta desorien-
tarlos.*) Bueno, ya me explicaréis.

LINO.—(*Seco.*) ¿El qué?

MAX.—La broma. No hay duda de que los tres estáis de
acuerdo. (*Ríe.*) Incluso nuestro fantástico novelista. (*Le da
a* TOMÁS *una palmada en la espalda.*) Porque yo he estado
en el locutorio. Y el que no estaba allí eras tú, Lino.

LINO.—(*Se vuelve hacia él y se apoya en la mesa.*) Así
que uno de los dos miente.

MAX.—¡No estabas, Lino! (*Echa a andar, alterado.*) ¡Y
ya no me gusta la broma, si es que es broma! ¡Porque más
bien me parece... una suspicacia repugnante, que no sé
cómo entender!

ASEL.—Pero si él no te ha visto...

MAX.—(*Se encara con él.*) ¡Tú también mientes! Él no
ha salido de la celda.

LINO.—Y tú has ido al locutorio.

MAX.—¡Sí!

(*Se detiene, respirando con fuerza.* LINO *se le
acerca, muy risueño, y le pone las manos en
los hombros.*)

LINO.—Está bien, hombre. He sido un tonto al creer que
picarías el anzuelo. Mis padres no han venido. ¿Y tu madre?

MAX.—*(Pálido.)* Quítame las manos de encima...

LINO.—*(Sin quitárselas, le empuja.)* Anda, siéntate. Vamos a hablar clarito. *(Le obliga a sentarse en su petate.)* Hace unos días estábamos en el patio y te llamaron. ¡Visita extraordinaria! ¿Te acuerdas?

(Se sienta sobre la mesa.)

MAX.—*(Displicente.)* Sí.

LINO.—[Si viste o no a tu madre, tú lo sabrás.] Pero [también] estuviste en la oficina.

MAX.—¡Eso es mentira!

LINO.—[¡Ah!... Te has descubierto. Deberías haberlo justificado y lo has negado...] Te llevaba el guardián de los bigotes. Y os reíais a placer... ¡Casi parecíais dos novios!

MAX.—¡No tolero esa patraña!

(Intenta levantarse.)

LINO.—*(Lo vuelve a sentar de un empellón.)* ¡Siéntate!

MAX.—¡Es un infundio! ¿Quien me vio, di? ¿Otro guillado como Tomás? [¡No me sorprendería, aquí ven visiones muchos más de los que suponemos!] Quién sabe si fue el mismo Tomás. *(A* TOMÁS.*)* ¿Me viste tú? ¿O aseguraste haberme visto... para que no sospechasen de ti?

TOMÁS.—¿Qué estás inventando?

LINO.—*(Le atenaza un brazo.)* ¡Calla, soplón! Esa treta no vale, pero te denuncia aún más... ¡Te vi yo!

MAX.—¿Tú?

LINO.—Desde la puerta del patio.

(Se levanta.)

MAX.—¡Me confundirías con otro!

LINO.—No tengo telarañas en los ojos. Y otros compañeros, tampoco. Hace unos diez días te vieron desde una de las mirillas de ahí enfrente. *(Se sitúa a sus espaldas y le pone las manos en los hombros.)* Volviendo a la celda [de otra de tus visitas.] Nos traías el paquete que recibiste y lo compartimos.

MAX.—Menos mal que lo recuerdas. ¡Compartí el paquete!

LINO.—[Sí.] Después de atracarte ahí fuera antes de entrar. *(Breve pausa.)* [¿Ya no niegas? Claro. Has comprendido que te vieron.] Y [a ese mismo guardián,] al de los bigotes, lo vieron también, muerto de risa, esperando a que terminases de tragar. *(Ríe suavemente.)* ¿Te has quedado mudo?

MAX.—*(Baja la cabeza.)* Fue una debilidad y os pido perdón. Todos tenemos hambre, y el paquete era mío... ¡Pero no soy un chivato!

LINO.—Entonces es que te gusta hablar con los guardianes. Ya nos dirás de qué.

MAX.—No... Os equivocáis. Ese hombre... No sé. Debe de ser marica. Me sonríe, me retiene para decirme tonterías sin sentido... Comprenderéis que no os iba a hablar de unas asiduidades... que me avergonzaban.

LINO.—*(Se sienta sobre la mesa, a su lado.)* No eres tonto, no. Pero si tú no eres el chivato, ¿quién es? No nos llevaron abajo, nos permiten visitas... Alguien de esta celda les está informando. Asel es un preso muy significado y le han puesto al lado un espía. (ASEL *inicia un movimiento de advertencia.)* ¿Quién es el soplón? ¿Tomás?

MAX.—Yo ya no digo nada. Estáis locos.

LINO.—Porque ya nada puedes decir. Es muy difícil tu oficio, bribón. Hay miles de ojos mirándonos a todos. [Tarde o temprano te descubren.]

MAX.—¡No has descubierto nada ni probado nada!

LINO.—¿No?... Bien. Entonces quedamos en que tu madre te ha visitado.

MAX.—¡Ésa es la verdad, y no hay otra!

LINO.—Y no le han dejado darte el paquete.

MAX.—No... Esta vez no.

LINO.—[Encerrarse en la negativa en vez de justificar, ¿eh? Pero puede ser otro error mortal...] *(Se inclina hacia él.)* Échame el aliento.

MAX.—¿Cómo?

LINO.—*(Se levanta y le agarra de los cabellos, torciéndole la cabeza hacia atrás.)* ¡Abre la boca!

MAX.—¡Suelta, bestia! Si crees que voy a soportar más tus canalladas...

> *(Pretende levantarse, zafarse, pero* LINO *le aprieta las mandíbulas con la tenaza de su mano y le obliga a abrir la boca, de la que se exhala un gemido de dolor.* LINO *le huele el aliento.)*

LINO.—*(Sin soltarlo, levanta la cabeza.)* Ven a oler, Asel. Y tú, Tomás. (TOMÁS *se levanta, atónito.)* [El señor ha comido y ha bebido.] Apesta [a rancho y] a vino. Les ha dado el parte y ha recibido su precio acostumbrado en vituallas.

> *(*MAX *se revuelve y manotea en vano, gime.* LINO *le propina un rodillazo en el estómago que le provoca un grito y la inmovilidad.* TOMÁS *se acerca y le huele la boca a* MAX. *Sin acercarse,* ASEL *asiente, pesaroso.)*

TOMÁS.—Es cierto.

(*Se aparta.* LINO *suelta a* MAX, *que se encoge.*)

MAX.—El de los bigotes me ha dado un vaso de vino...
Eso es todo.

LINO.—Oye, mamarracho: esto no es un tribunal. Para
nosotros ya hay bastantes pruebas.

(*Silencio.*)

TOMÁS.—¿Te han obligado a delatar a golpes?

(MAX *lo mira de reojo, sombrío, y no responde.* TOMÁS *retrocede, observándolo; luego
va a la ventana invisible y respira con fuerza.*)

ASEL.—No es el mismo caso, Tomás. Es el vulgar confi-
dente. Le dicen que tal vez salve la vida, le ofrecen unos
mendrugos, unos cigarrillos... Le brindan, sobre todo, la
tranquilizadora sensación de que el Poder cuenta con él, de
que vuelve a ser una persona y no un gusano a quien van a
despachurrar... No te odio, Max. Eras otro niño asustado y
te has vendido. Nadie sería un espía en un mundo humano.

LINO.—Mucha verdad. Pero ahora nuestro amiguito nos
va a contar, por las buenas, lo que les ha dicho. Y lo que le
han dicho ellos. (*Se sienta otra vez a su lado.*) O por las
malas. (MAX *lo mira, sobresaltado.* TOMÁS *se vuelve y va a
sentarse, turbado, a su petate.*) ¡Claro! [¿Qué te has creído?] Yo también sé hacer hablar.

ASEL.—No, Lino. No más violencia.

LINO.—Tú déjalo de mi cuenta. (*Se inclina hacia él.*)
Anda, rico. Suelta la lengua. (*Con los ojos muy abiertos,*
MAX *se levanta.*) ¿Adónde vas?

(MAX *retrocede hacia la izquierda.* LINO *se levanta con aire amenazante.* ASEL *lo sujeta.*)

ASEL.—¡Déjalo en paz! ¡Sería peor!
LINO.—¡Qué va a ser peor! (MAX *corre a la puerta y la aporrea, frenético.* TOMÁS *se levanta.* ASEL *se abalanza e intenta separar a* MAX *de la puerta.* MAX *se resiste y arrecia sus golpes.* LINO, *que no se ha movido:*) ¡Déjalo, Asel! No les va a gustar que le hayamos descubierto. Ahora lo tirarán a la basura como un pingajo. (*Descompuesto,* MAX *deja de golpear.*) [¡Sigue! Vienen, se lo cuentas y les pides perdón por haberlo hecho mal. Ya verás la cara que te ponen.] (*Una pausa. Se oye la agitada respiración de* MAX.) Ven a mi lado, te trae más cuenta. (MAX *aporrea de nuevo, desesperado.*) ¡Ah! ¿Me temes más que a ellos? Tampoco te falta razón.
ASEL.—¡Calla, Lino! (*Forcejea con* MAX.) ¡Tomás, ayúdame!

(TOMÁS *se acerca y tira de* MAX)

LINO.—¡Si es muy fácil!

(*Se acerca y apresa a* MAX *por el cuello con una sola mano.*)

MAX.—(*Casi ahogado.*) ¡No!...

(LINO *lo conduce y lo tira sobre su petate.* MAX *jadea.*)

TOMÁS.—(*Que se puso a escuchar junto a la puerta.*) ¡Se acercan!

LINO.—*(Le da un golpe en el cuello a* MAX.) ¡Maldita víbora! ¡Ojo con abrir la boca!

>*(Cruza y se sienta en su petate.* ASEL *se re-*
>*cuesta en el borde de su cama.* TOMÁS *retro-*
>*cede hacia el primer término. Un par de se-*
>*gundos y se oye la llave. La puerta se abre. Al*
>*fondo, las celdas cerradas. El* ENCARGADO *y*
>*su* <u>AYUDANTE, *de uniforme. Sus caras, hermé-*</u>
>*<u>ticas.</u> El* AYUDANTE *permanece en el umbral.*
>*El* ENCARGADO *entra.* MAX *se levanta de un*
>*salto y corre a su lado.* LINO *se levanta, pero*
>*no logra detenerlo.)*

MAX.—¡He sido yo! ¡He llamado yo! ¡Por favor, sáquenme de aquí! ¡Sáquenme!

ENCARGADO.—*(Lo aparta con brusquedad.)* ¡Usted cállese! El C-73.

ASEL.—*(Se le dilatan los ojos. Se envara.)* Soy yo.

ENCARGADO.—Salga.

>(ASEL *mira a los demás con el rostro nublado.*
>*Después se dirige al* ENCARGADO.)

ASEL.—¿Con todo?

ENCARGADO.—Se le ha dicho que salga y nada más.

LINO.—*(A* ASEL.) No han llamado por el altavoz...

ASEL.—Es interrogatorio. *(Suspiro hondo.)* No tengo nada que decir y no diré nada.

ENCARGADO.—¡Salga de una vez!

ASEL.—¿Puedo despedirme?

ENCARGADO.—¿Para qué, si va a volver?

ASEL.—Quién sabe. *(Le da la mano a* LINO.) Suerte, Lino.
LINO.—*(La voz velada.)* Aguanta.

(ASEL *mira a* MAX *con profunda tristeza.*
MAX *desvía la vista. Después se acerca a* TO-
MÁS *y estrecha su mano.)*

ASEL.—No lo olvides, Tomás. Tu paisaje es verdadero.
(Sale al corredor. El AYUDANTE *le indica la derecha. El*
ENCARGADO *sale a su vez.* ASEL *se detiene un instante.)*
Sí... Sí...

(De *repente echa a correr hacia la izquierda y
desaparece.)*

AYUDANTE.—¡Alto!

(Saca su pistola y la monta.)

ENCARGADO.—¿Adónde va? ¡Quieto! *(Al* AYUDANTE.)
No dispare. *(Desaparece corriendo hacia la izquierda. Se
oye su voz.)* ¡Deténgase! ¡No tiene escape!

(TOMÁS, LINO *y* MAX *se van acercando a la
puerta.)*

ASEL.—*(Se oye su victoriosa exclamación.)* ¡Sí tengo escape!
ENCARGADO.—*(Su voz, más lejos.)* ¿Qué hace? ¡No se
mueva!

(TOMÁS, LINO *y* MAX *se apiñan en la puerta.)*

AYUDANTE.—¡Atrás ustedes!

(Los empuja. Se oye de inmediato al ENCAR-
GADO.*)*

ENCARGADO.—*(Su voz.)* ¡Venga aquí, pero no dispare!
(El AYUDANTE *desaparece corriendo.)* ¡Y usted, no se
mueva! *(Un silbato lanza apremiantes llamadas. Nada más
desaparecer el* AYUDANTE, *sale* MAX *al corredor y mira
hacia la izquierda, aferrado a la barandilla. Con mayor
cautela,* TOMÁS *y* LINO *se asoman. Se oye al* ENCARGADO.*)*
¡No se asomen! *(*TOMÁS *y* LINO *retroceden,* MAX *no se
mueve.* ¡Quieto! ¡Baje de ahí!
    AYUDANTE.—*(Su voz, lejana.)* ¡No cometa disparates!
¡No le va a pasar nada!...
    MAX.—¡Se va a tirar!
    ENCARGADO.—*(Su voz.)* ¡No!
    AYUDANTE.—*(Su voz.)* ¡No!
    MAX.—¡Asel!... Se ha tirado.
    TOMÁS.—Para no hablar.

*(Un golpe sordo, lejano. En las puertas de las
celdas comienzan a oírse golpes que ganan
pronto intensidad y frecuencia, hasta conver-
tirse en un gran trueno. Al retumbar de las
puertas se suman numerosas voces que gritan:
«¡Asesinos! ¡Asesinos!».)*

ENCARGADO.—*(Su voz.)* ¡Maldito granuja! *(Grita.)* ¡Los
de abajo! ¡Recójanlo aprisa!

*(Gritos, silbidos, carreras, el tronar de las
puertas. En un arrebato,* LINO *se abalanza hacia* MAX.*)*

LINO.—¡Tú también!

> *(Agarra sus piernas y con rapidísimo y hercúleo envite, lo tira por la barandilla.)*

TOMÁS.—*(Grita desde la puerta.)* ¡Lino! *(Se oye el grito de* MAX *en su caída.* LINO *entra rápidamente.)* ¡Qué has hecho!

LINO.—No me han visto.

[TOMÁS.—¡Qué horror! ¡Cierra!

LINO.—No. Se darían cuenta. Ahora estarán mirando para acá.]

TOMÁS.—¡Lo vamos a pagar muy caro!

LINO.—[¡No me arrepiento!] ¡Él era el culpable!

TOMÁS.—¡Pero lo has echado a perder todo!

LINO.—¡No he podido contenerme! Se me han subido a la cabeza esos gritos.

> *(Escucha hacia fuera.)*

TOMÁS.—Lino, yo ya no puedo condenar nada..., excepto a mí mismo. ¡Pero no apruebo ese asesinato!

LINO.—¡Ya vienen!

> *(Se oyen pasos que corren hacia la celda.)*

TOMÁS.—Intentaré remediarlo... ¡Vete allí! ¡Rápido!

> *(Le indica la derecha.* LINO *corre a sentarse en su petate. Entran presurosos el* ENCARGADO *y su* AYUDANTE. *Sigue el sonoro escándalo.)*

ENCARGADO.—*(Aferra duramente a* TOMÁS, *que se le pone delante.)* ¿Qué ha pasado aquí?

(LINO *se levanta.*)

TOMÁS.—*(Muestra la mayor indignación.)* ¡Eso pregunto yo! ¿Qué está pasando en la Fundación?

ENCARGADO.—¡No digas sandeces!

TOMÁS.—*(Se desprende con violencia.)* ¡Suélteme! ¿Cómo se atreve a tocar a un becario? ¡Yo no digo sandeces y exijo que se me aclare qué sucede! ¡Están pasando desde hace días cosas muy extrañas y ustedes son los culpables! ¡Sí, ustedes! *(Va de uno al otro, increpándolos.)* ¿Es que se les han subido a la cabeza sus empleos? ¡Ustedes no son más que subalternos envanecidos! *(Le grita al* AYUDANTE.) ¡Guarde esa pistola! ¿Cómo se atreve a ir armado en la Fundación? [¡No tiene ningún derecho a ello y me quejaré! ¡Les costarán muy caras sus negligencias!] ¡Pediré que los expulsen! ¡Guarde esa pistola, he dicho!

ENCARGADO.—Guárdela.

(El AYUDANTE *la enfunda.)*

TOMÁS.—Así está mejor. Y ahora, díganme: ¿Cómo han podido permitir esos ruidos, esos accidentes espantosos? ¿Por qué se ha caído Asel? ¿Lo han empujado ustedes? *(Toma por el correaje al* ENCARGADO, *que lo está mirando muy fijo.)* ¿Qué horrenda conspiración es ésta?

ENCARGADO.—No me toque.

(Lo rechaza.)

TOMÁS.—*(En el paroxismo de su excitación.)* ¿Una conspiración contra mí?

AYUDANTE.—*(Se adelanta, con aviesa expresión.)* ¿Y quién ha empujado al C-96?

TOMÁS.—¡Nadie!

AYUDANTE.—¿Cómo que nadie?

TOMÁS.—¡Se ha subido a la barandilla y se ha tirado! ¡Lo he visto yo desde aquí! ¡Y ustedes tienen la culpa! ¡De esa desgracia también tendrán que responder! [¡El prestigio de la Fundación lo exige y yo no voy a callar! ¡Ya se averiguará a sueldo de quién están ustedes, ya se esclarecerá quién pretende manchar el buen nombre de esta casa! Conmigo no van a poder.] ¡Y ahora, salgan! *(El* ENCARGADO *lo aparta con desdén y se encara con* LINO.*)* ¡No me empuje, canalla! ¡Y salga de una vez!

(Los golpes y los gritos se han ido espaciando.)

AYUDANTE.—Parece que aflojan...

ENCARGADO.—*(A* LINO.*)* ¿Quién ha tirado al C-96?

LINO —[Supongo que nadie.] Yo no quise asomarme desde que usted lo prohibió y no he visto nada.

AYUDANTE.—*(A media voz.)* ¿Tendría escrúpulos?

ENCARGADO.—*(A media voz.)* O miedo... Vaya recogiendo las cosas de los dos.

AYUDANTE.—Sí, señor.

> *(Los golpes han cesado. El coro de voces continúa, pausado y monótono: «¡A... se... si... nos!... ¡A... se... si... nos!». El* ENCARGADO *se acerca a* LINO. *El* AYUDANTE *sale al corredor y hace una seña. Después entra y toma de la taquilla dos platos, dos vasos y dos cucharas.)*

ENCARGADO.—¿Por qué quería el C-73 que los trasladasen a celdas de castigo?

(El AYUDANTE *se detiene y escucha.)*

LINO.—*(Parece asombrado.)* Es la primera noticia que tengo.

ENCARGADO.—¡No sea embustero!

LINO.—*(Ríe.)* ¡Vaya tontería, querer bajar a esas ratoneras!

> *(El* ENCARGADO *y él se miran fijamente. Los dos* CAMAREROS *asoman a la puerta y aguardan, vestidos como cuando actuaron de barrenderos. Las voces insultantes amenguan.)*

AYUDANTE.—*(Áspero.)* ¿Cuáles son las colchonetas?

LINO.—*(Señala.)* Ésa y ésta.

> *(Muy pocas voces ya repiten la imprecación. Pronto callan casi todas.)*

AYUDANTE.—¡Sus talegos!

TOMÁS.—*(Va a la percha y descuelga dos.)* Tómenlos y váyanse ya. *(El* AYUDANTE *los recoge y va a poner uno sobre el petate de* MAX.*)* ¡Ése es del otro!

> *(El* AYUDANTE *pone el otro saquito y lleva el de* ASEL *a la cama. Una sola voz dice: «¡A... se... si... nos!».)*

AYUDANTE.—*(A los de la puerta.)* Llévense estos dos.

(Los CAMAREROS *entran; cada uno toma un petate y un saco. Salen con ellos al corredor y se van por la derecha.)*

ENCARGADO.—Vamos.

(Salen el ENCARGADO *y el* AYUDANTE. *Éste cierra la puerta con un rotundo golpe. Pausa. Muy amortiguada y por última vez, óyese la acusación de una sola voz: «¡A... se... si... nos!». Silencio.* TOMÁS *se dirige a la mesa y se sienta en el borde, agotado.* LINO *vuelve a sentarse en su petate.)*

LINO.—Se lo han creído.

TOMÁS.—Eso parece.

LINO.—Has estado admirable... Gracias. (TOMÁS *responde con un ademán de indiferencia.)* Te cedo la cama. Yo prefiero el suelo.

TOMÁS.—No va a hacer falta.

LINO.—¿No?

TOMÁS.—Si creen que Max les mintió, ya no tienen nada que averiguar de nosotros. Si piensan que no les engañó, lo probable es que crean que tampoco tú y yo sabemos lo que se proponía Asel. En ningún caso tienen que esperar. Nos sacarán de aquí hoy mismo.

LINO.—¿La ejecución?

TOMÁS.—Puede ser. [Lo más seguro.]

LINO.—*(Movimiento de rebeldía.)* ¡Así revienten todos!

TOMÁS.—Reventarán. Estos administradores de la muerte caerán también un día. Si a nosotros nos ha llegado la hora, poco importa. *(Se vuelve y lo mira.)* Lino, la afrontaremos como Asel. Con valor. Porque Asel no ha sido cobarde. Se ha sacrificado por nosotros; sabía que no resistiría [sin hablar] y ha resuelto callar para salvar a los compañeros de la galería y para darnos una última oportunidad.

LINO.—¿A ti y a mí?

TOMÁS.—¿No lo comprendes? *(Se levanta y se acerca.)* Dentro de una hora, o de un minuto, nos sacarán de aquí. Para matarnos, sí. Casi seguro. *(Breve pausa.)* Pero tal vez se limiten a trasladarnos a celdas de castigo. Aunque hayan creído que Max se arrojó, deberán imponer una sanción ejemplar a la celda de donde todo ha partido.

LINO.—¿No estás fantaseando?

TOMÁS.—Acaso. Es una probabilidad pequeñísima; quizá sólo una ilusión. Si se realiza, esta noche daremos los golpes de consigna. Y durante seis días... si no nos llevan al paredón antes..., *(Irónico.)* viviremos esa otra curiosa fantasía de las manos llagadas por la barra, de la ansiedad en el túnel negro, del insomnio agotador..., de la esperanza de abrazar un día a Berta..., de la vida y la lucha, que prosiguen.

LINO.—*(Se levanta, tenso.)* ¡Oye!... Me gustaría.

TOMÁS.—Yo no enloqueceré ya por esa ilusión, ni por ninguna otra. Si hay que morir, no temblaré. Para Asel ya se ha desvanecido este extraño cine. Y para Tulio. No tenemos ningún derecho a sobrevivirles. *(Una sonrisa le transfigura el rostro.)* ¡Pero, mientras viva, esperaré! ¡Hasta el último segundo! *(Da unos pasos y mira por la ventana invisible.)* ¡Esperaré ante las bocas de los fusiles y sonreiré al caer, porque todo habrá sido un holograma! *(Breve pausa.)* Esa fuerza también se la debemos a Asel. Y yo le doy las gracias... con fervor. Ya no me siento huérfano. *(Con una ojeada al fondo, murmura.)* Sí, el paisaje es verdadero. *(Va hacia LINO.)* Si estuviera aún aquí, él te lo repetiría, Lino. Prudencia, astucia, puesto que nos obligan a ello. Pero ni

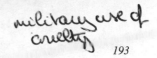

military are of cruelty

un error más. Arrojar a ese pobre diablo ha sido una atrocidad inútil y muy peligrosa.

LINO.—No tan inútil..., si nos llevan abajo.

TOMÁS.—No es seguro y hemos salvado la situación a duras penas: tu arrebato lo ha podido hundir todo. Aunque la
más justa indignación nos encienda la sangre, hemos de
aprender a dominarla. Si no acertamos a separar la violencia
de la crueldad, seremos aplastados. Asel tenía razón, Lino.
Sabía más que nosotros... Y yo no olvidaré sus palabras.

      (Pausa.)

LINO.—Tenemos el derecho de indignarnos...

TOMÁS.—Y el deber de vencer.

      (Breve silencio.)

LINO.—Sí, todo lo he podido echar a perder. Aún tengo
que aprender a pensar...

TOMÁS.—Y yo...

LINO.—... Para entender qué es todo esto. ¿Lo sabes tú?

TOMÁS.—*(Irónico.)* El holograma... de las fieras.

LINO.—Será eso que tú dices. Pero tan sucio, tan duro...
¿Es que nunca vamos a conseguir cambiarlo?

TOMÁS.—*(Se acerca y le oprime el hombro.)* Ya está
cambiando. Incluso dentro de nosotros. *(Se separa y se
sienta.)* Y ahora, esperemos.

      (LINO *se sienta.*)

LINO.—¿La muerte?

TOMÁS.—O la celda de castigo. El túnel espantoso hacia
la libertad.

(*Larga pausa.*)

LINO.—(*Baja la voz.*) ¿No oyes pasos?
TOMÁS.—(*Levanta su rostro sonriente.*) Sí.

(*Miran hacia la puerta.*)

LINO.—Se han detenido. (TOMÁS *se levanta.* LINO, *también. A media voz.*) No nos dirán a dónde nos llevan.
TOMÁS.—Pronto lo sabremos.

(*Se oye la llave. La puerta se abre. Entra el* AYUDANTE.)

AYUDANTE.—El C-46 y el C-72. Salgan con todo lo que tengan.

(TOMÁS y LINO *se miran.*)

LINO.—Sí, señor.

(*Va a la percha, descuelga los dos saquitos que restan, se cuelga el suyo del brazo y deja el otro sobre el petate de* TOMÁS. TOMÁS *va a la taquilla, toma platos, vasos y cucharas.*)

TOMÁS.—Toma.

(*Le tiende a* LINO *los suyos.* LINO *los mete en su talego.* TOMÁS *hace lo mismo con los suyos, se cuelga el saquito y lanza una ojeada circular a la celda.*)

AYUDANTE.—*(Sarcástico.)* Muy contento parece usted.

TOMÁS.—*(Con una tenue sonrisa.)* Naturalmente. ¿Vamos, Lino?

LINO.—Vamos.

> *(Aúpan sus petates, se los cargan al hombro y salen. El* AYUDANTE *sale tras ellos y cierra. Breve pausa. Comienza a oírse, muy suave y remota, la Pastoral de Rossini. La luz se irisa. La cortina desciende y oculta el rincón del retrete. El paño de la derecha se desliza hacia arriba y deja ver, de nuevo, la librería, el televisor... El teléfono reaparece sobre la mesilla. A la cabecera del lecho, la lamparita vuelve a asomar. El paño inferior de la izquierda se corre y la tapa del frigorífico brilla otra vez. La gran pantalla de fantasía desciende, despacio, hasta su antiguo sitio. Finalmente, descúbrese el amplio ventanal, tras el que resplandece el maravilloso paisaje. La música gana fuerza. La puerta se abre. Es el* ENCARGADO *quien la gira, para situarse en seguida ante el umbral. Tras la barandilla y al fondo, el lejano panorama campestre. El* ENCARGADO *viste sus correctas ropas de recepción y, con su más obsequiosa sonrisa, invita a entrar en el aposento a nuevos ocupantes que se acercan.)*

TELÓN

GUÍA DE LECTURA

por Francisco Javier Díez de Revenga

Antonio Buero Vallejo. Foto archivo Espasa

CRONOLOGÍA

de Antonio Buero Vallejo

1916 Nace el 29 de septiembre en Guadalajara. Hijo de don Francisco Buero, capitán de Ingenieros del Ejército y de doña María Cruz Vallejo. Su hermano Francisco había nacido en 1911 y, unos años después, su hermana Carmen.

1926-1933 Bachillerato en su ciudad natal y en Larache (Marruecos), por destino temporal de su padre. Muy atraído por el dibujo y la pintura, lee también muchos textos dramáticos de la biblioteca paterna; con él asiste con frecuencia al teatro.

1934-1936 Estudios en la Escuela de Bellas Artes de San Fernando, en Madrid. Comenzada la guerra civil, colabora con la Junta de Salvamento Artístico.

1937-1939 Cuando es movilizada su quinta, Buero sirve a la República en varios destinos. Escribe y dibuja en un periódico del frente y participa en otras actividades culturales. En un hospital de Benicásim conoce a Miguel Hernández. Al finalizar la guerra se encuentra en Valencia y es recluido en un campo de concentración en Soneja (Castellón). Una vez en Madrid, es detenido y condenado a muerte en juicio sumarísimo por «adhesión a la rebelión».

1939-1946 La condena a la pena capital se mantiene durante ocho meses, en los que fueron ejecutados cuatro compañeros de su grupo. La pena de muerte le es conmutada por la de cadena perpetua; sufre reclusión en diversas prisiones. En la de Conde de Toreno hace el conocido retrato de Miguel Hernández y los de otros muchos compañeros.

1946 Después de sucesivas rebajas de la condena, se le concede la libertad condicional con destierro de Madrid (reside en Carabanchel Bajo). Deja la pintura y comienza a escribir teatro.

1947-1948 Puede vivir en Madrid gracias a un indulto total. Presenta dos obras, *En la ardiente oscuridad* e *Historia de una escalera,* al Premio Lope de Vega del Ayuntamiento de Madrid.

1949 *Historia de una escalera* recibe el Premio Lope de Vega y es estrenada en el Teatro Español de Madrid el 14 de octubre de 1949. Ante el gran éxito de público y crítica, la obra permanece en cartel hasta el 22 de enero de 1950; el 19 de diciembre había dejado paso por una noche a *Las palabras en la arena,* primer premio de la Asociación de Amigos de los Quintero.

1950 Estreno de *En la ardiente oscuridad* (Teatro María Guerrero, 1 de diciembre). Versión cinematográfica de *Historia de una escalera* dirigida por Ignacio F. Iquino.

1952 Estreno de *La tejedora de sueños* (Teatro Español, 11 de enero) y de *La señal que se espera* (Teatro Infanta Isabel, 21 de mayo). Primer estreno en el extranjero de *En la ardiente oscuridad,* en el Riviera Auditorium de Santa Bárbara (California), el 4 de diciembre.

1953 Estreno de *Casi un cuento de hadas* (Teatro Alcázar, 10 de enero) y de *Madrugada* (Teatro Alcázar, 9 de diciembre).

1954 Prohibición de representar *Aventura en lo gris,* cuya publicación en la revista *Teatro* se permite. Estreno de *Irene, o el tesoro* (Teatro María Guerrero, 14 de diciembre).

1956 Estreno de *Hoy es fiesta* (Teatro María Guerrero, 20 de septiembre). Premios Nacional de Teatro y María Rolland.

1957 Estreno de *Las cartas boca abajo* (Teatro Reina Victoria, 5 de diciembre). Premio Nacional de Teatro. Versión cinematográfica de *Madrugada.*

1958 Estreno de *Un soñador para un pueblo* (Teatro Español, 18 de diciembre). Premios Nacional de Teatro y María Rolland.

1959 *Hoy es fiesta* recibe el Premio de Teatro de la Fundación Juan March, y *Un soñador para un pueblo,* el de la Crítica de Barcelona. Película argentina basada en su obra *En la ardiente oscuridad* (en España se distribuyó en 1962 con el título *Luz en la sombra).* Contrae matrimonio con la actriz Victoria Rodríguez.

1960 Nace su hijo Carlos. Estreno de *Las Meninas* (Teatro Español, 9 de diciembre), su mayor éxito de público hasta entonces.

1961 Nace su hijo Enrique. Estreno de su versión de *Hamlet, príncipe de Dinamarca,* de Shakespeare (Teatro Español, 15 de diciembre).

1962 Estreno de *El concierto de San Ovidio* (Teatro Goya, 16 de noviembre). Premio Larra.

1963 Estreno de *Aventura en lo gris* en su versión definitiva (Teatro Club Recoletos, 1 de octubre). Actor en *Llanto por un bandido,* de Carlos Saura. La revista

Cuadernos de Ágora le dedica un monográfico. Firma, con otros cien intelectuales, una carta de protesta por el trato de la policía a algunos mineros asturianos, lo que produce «el desvío de editoriales y empresas». Muere su madre.

1964 *La doble historia del doctor Valmy* es presentada dos veces a censura pero no obtiene autorización.

1966 Estreno de su versión de *Madre Coraje y sus hijos,* de Bertolt Brecht, que la censura había impedido con anterioridad (Teatro Bellas Artes, 6 de octubre). Conferencias en universidades de Estados Unidos.

1967 Estreno de *El tragaluz* (Teatro Bellas Artes, 7 de octubre). Premios El Espectador y la Crítica y Leopoldo Cano. Actor en *Oscuros sueños de agosto,* de Miguel Picazo.

1968 Reposición de *Historia de una escalera* (Teatro Marquina, 31 de marzo). Estreno de *La doble historia del doctor Valmy* —prohibida en España— en Chester (Gateway Theater, 22 de noviembre, versión inglesa). Publicación en *Primer Acto* de *Mito,* libreto para una ópera sobre Don Quijote que no se ha estrenado.

1969 Miembro honorario de The American Association of Teachers of Spanish and Portuguese.

1970 Estreno de *El sueño de la razón* (Teatro Reina Victoria, 6 de febrero). Premios El Espectador y la Crítica y Leopoldo Cano. Estreno de *La doble historia del doctor Valmy,* en español, en Vermont (Estados Unidos).

1971 Elegido miembro de número de la Real Academia Española para ocupar el sillón X. Miembro de la Hispanic Society of America. Estreno de *Llegada de los dioses* (Teatro Lara, 17 de septiembre). Premio Leopoldo Cano.

1972 Discurso de ingreso en la Real Academia Española (21 de mayo): «García Lorca ante el esperpento».

1973 Publica *Tres maestros ante el público*.

1974 Estreno de *La Fundación* (Teatro Fígaro, 15 de enero). Premios Mayte, El Espectador y la Crítica, Leopoldo Cano, Long Play, Le Carrousel y Foro Teatral.

1976 Estreno en España de *La doble historia del doctor Valmy* (Teatro Benavente, 29 de enero). Medalla de Oro de *Gaceta Ilustrada*.

1977 Estreno de *La detonación* (Teatro Bellas Artes, 20 de septiembre). Premio El Espectador y la Crítica. Participa en Caracas en la IV Sesión Mundial del Teatro de las Naciones.

1978 Homenaje en Nueva York en una sesión extraordinaria de la Modern Language Association. Las intervenciones de los ponentes y del autor se reproducen en un monográfico de la revista *Estreno*.

1979 Estreno de *Jueces en la noche* (Teatro Lara, 2 de octubre). Edición en la Universidad de Murcia de *El terror inmóvil*, inédito desde su composición en 1949. Invitado de honor en el Congreso de la Asociación Alemana de Hispanistas, dedicado a su obra. Se da el nombre de Antonio Buero Vallejo a un Instituto de Bachillerato de Guadalajara.

1980 Conferenciante en las universidades de Friburgo, Neuchâtel y Ginebra. Medalla de Plata del Círculo de Bellas Artes de Madrid. Premio Nacional de Teatro por el conjunto de su producción.

1981 Estreno de *Caimán* (Teatro Reina Victoria, 10 de septiembre). Premios El Espectador y la Crítica y Long Play. Viaje a la URSS para asistir al Congreso de la Unión de Escritores. Reposición de *Las cartas boca abajo* (Teatro Lavapiés, 14 de octubre).

1982 Estreno de su versión de *El pato silvestre,* de Ibsen (Teatro María Guerrero, 26 de enero).

1983 Oficial de las Palmas Académicas de Francia.

1984 Estreno de *Diálogo secreto* (Teatro Victoria Eugenia de San Sebastián, 6 de agosto). Premios El Espectador y la Crítica, Long Play y Ercilla. Medalla Valle-Inclán de la Asociación de Escritores y Artistas. *ABC* de Oro.

1985 El Ayuntamiento de Guadalajara crea el Premio de Teatro Antonio Buero Vallejo.

1986 Reposición de *El concierto de San Ovidio* (Teatro Español, 25 de abril); con ese motivo se celebra en el Teatro Español de Madrid un Seminario Internacional acerca de esa obra y una Exposición. Monográfico de *Cuadernos El Público.* En un accidente fallece su hijo menor, el actor Enrique Buero Rodríguez. Premio Pablo Iglesias. Estreno de *Lázaro en el laberinto* (Teatro Maravillas, 18 de diciembre). Premio El Espectador y la Crítica. Premio Miguel de Cervantes, que se otorga por vez primera a un dramaturgo.

1987 Exposición sobre Buero en la Biblioteca Nacional. Hijo predilecto de Guadalajara y Medalla de Oro de esa ciudad. Consejero de honor de la Sociedad General de Autores. Asiste en Murcia al Simposio Internacional «Buero Vallejo (Cuarenta años de Teatro)». Número monográfico de la revista *Anthropos.*

1988 Medalla de Oro de la Comunidad de Castilla-La Mancha. Socio de honor de la Asociación de Escritores y Artistas. Adaptación cinematográfica de *Un soñador para un pueblo* dirigida por Josefina Molina con el título de *Esquilache.*

1989 Estreno de *Música cercana* (Teatro Arriaga de Bilbao, 18 de agosto). En Málaga asiste al Congreso de Literatura Española dedicado a su obra.

1991 «Buero Vallejo: el hombre y su obra», I Concurso de la colección Austral (Espasa Calpe). Reposición de *El sueño de la razón* (Teatro Rialto de Valencia, 16 de mayo). Homenaje del Patronato Municipal de Cultura del Ayuntamiento de Guadalajara. Presidente de Honor de la Asociación de Autores de Teatro. Edición de *Tentativas poéticas*, que recoge sus poemas.

1993 Homenaje en la I Muestra de Teatro Español de Autores Contemporáneos de Alicante. Publicación del *Libro de estampas,* presentado por el autor en Murcia. Medalla de Oro al Mérito en las Bellas Artes.

1994 Representación de *El sueño de la razón* en el Centro Dramático Nacional (Teatro María Guerrero, 15 de septiembre) y en el Dramatem de Estocolmo. Estreno de *Las trampas del azar* (Teatro Juan Bravo de Segovia, 23 de septiembre). Publicación de la *Obra Completa* en la editorial Espasa Calpe.

1995 Se da el nombre de Antonio Buero Vallejo al Teatro de Alcorcón (Madrid).

1996 Jornadas de «Teatro y Filosofía» en la Universidad Complutense sobre el teatro de Buero. Homenajes del Ateneo de Madrid, de la Asociación de Autores de Teatro, del Festival de Otoño y de la Universidad de Murcia. Número monográfico de la revista *Montearabí*. Premio Nacional de las Letras Españolas, por primera vez concedido a un autor teatral.

1997 Reposición de *El tragaluz* (Teatro Lope de Vega de Sevilla, 15 de enero). Medalla de honor de la Universidad Carlos III de Madrid. Medalla de la Universidad de Castilla-La Mancha. Medalla de Oro de la Provincia de Guadalajara. Banda de Honor de la Orden de Andrés Bello de la República de Venezuela.

1998 Concluye *Misión al pueblo desierto,* su última obra.
El Centro Dramático Nacional prepara un nuevo
montaje de *La Fundación*.

1999 *La Fundación* se representa en el Teatro María Guerrero (27 de enero). El 9 de octubre se estrena *Misión
al pueblo desierto* en el Teatro Español de Madrid.

2000 El día 28 de abril, a media noche, muere en Madrid.
Es enterrado en el cementerio de La Paz, en las cer-
canías de Tres Cantos.

DOCUMENTACIÓN COMPLEMENTARIA

1. EL AUTOR Y SU TEATRO

Lo que mi teatro es, no lo sé; de lo que intenta ser, sí estoy algo mejor enterado. Intenta ser, por lo pronto, un revulsivo. El mundo está lleno de injusticias y de dolor: la vida humana es, casi siempre, frustración. Y aunque ello sea amargo, hay que decirlo. Los hombres, las sociedades, no podrán superar sus miserias si no las tienen muy presentes. Por lo demás, mi teatro no se singulariza al pretenderlo: esa es la pretensión común a todo verdadero dramaturgo. La miseria de los hombres y de la sociedad debe ser enjuiciada críticamente; la grandeza humana que a veces brilla en medio de esa miseria también debe ser mostrada. Considerar nuestros males es preparar bienes en el futuro; escribir obras de intención trágica es votar porque un día no haya más tragedias.

El dramaturgo no sabe si eso llegará a suceder, aunque lo espera. Y, como cualquier otro hombre que sea sincero, no tiene en su mano ninguna solución garantizada de los grandes problemas; sólo soluciones probables, hipótesis, anhelos. Su teatro afirmará muchas cosas, pero problematizará muchas otras. Y siempre dejará —como la vida misma— preguntas pendientes.

(Antonio Buero Vallejo, «Acerca de mi teatro», texto de hacia 1972 publicado por vez primera en *Obra Completa,* II, edición crítica de Luis Iglesias Feijoo y de Mariano de Paco, Madrid, Espasa Calpe, 1994, pág. 458).

LA FUNDACIÓN

La Fundación acoge con brisas de sosiego
a un blanco ratoncillo para quien forman nido
las manos de mi novia. Lo miro confundido
y ella musita: Pobre ratón ciego.

A entender no me atrevo la pupila insistente
de esa mujer que avisa de engaños y agonías.
La Fundación me ampara, me colma de alegrías.
Los compañeros ríen tenuemente.

Blancas cunas del sueño para un ratón herido,
libros, manjares, música, televisor, bebidas.
Espectrales riquezas, formas desvanecidas
si me despierta el aire estremecido.

Dormiré. Que el fantasma de mis brazos ansiosos
palpe ilusorios bienes, la imagen de la amada.
Si escondo alguna culpa, de nadie sea notada.
Oír no quiero avisos misteriosos.

Dice una voz amiga: *La sombra de las rejas*
astilla tu campana de cristal irisado.
Por sus fracturas negras la novia se ha escapado.
Quiebra también tus cobardías viejas.

Has de excavar un túnel angosto, frío y duro,
para ganar los soles, las fuentes y los valles.
Una topera honda a cuyo extremo halles
otro paisaje esmeraldino y puro.

En él te aguarda ella: tierna figura viva
junto a una transparente Fundación de diamante.
Beatriz recordada por otro humilde Dante
que huella al fin la tierra decisiva.

Y yo aún querría el túnel ignorar, el martirio
de obligarme a zaparlo con desolladas manos.
Quisiera todavía reclinarme en los vanos
espectros que acristalan mi delirio.

Pero los compañeros de risa misteriosa
salieron uno a uno, con miedo y con coraje,
por una innoble puerta, no a un túnel, no a un paisaje,
sino al encuentro de su propia fosa.

Minaremos entonces, tú y yo, supervivientes,
la Fundación helada, los obstinados muros.
Quizá amanezca el día tras sótanos oscuros
donde la nada mueve sus torrentes.

Clara centella alcemos, que su fulgor avanza
mientras reptamos sucios, famélicos, atroces.
De las cegadas voces parecen llegar voces.
Todo nos falta menos la esperanza.

(Antonio Buero Vallejo, «La Fundación», *Poesía, Obra Completa,* II, edición crítica de Luis Iglesias Feijoo y de Mariano de Paco, Madrid, Espasa Calpe, 1994, págs. 15-16).

Yo empecé mi teatro con *En la ardiente oscuridad,* porque fue la primera obra que escribí aunque no la primera que estrené, y por ahora lo he terminado con *La Fundación.* Ya en algún sitio he dejado apuntado cómo, en el fondo, en aquella primera obra y en esta se habla de lo mismo. Se habla de dos Instituciones o dos Fundaciones cuya mentira hay que revelar y desenmascarar.

Y el tema es el mismo, porque cada escritor, en cada momento, se encuentra con sus Instituciones o sus Fundaciones o con su Sociedad, como Cervantes se encontró con la suya en su tiempo; y Cervantes, en su tiempo, escribió el *Quijote,* que acaso les parecería también insuficiente a los eternos insatisfechos de entonces; pero ese libro representa hoy para nosotros una implacable respuesta literaria y crítica a la sociedad en que vivía y le asfixiaba.

Pues bien, modestísimamente, y al amparo de esas grandes figuras que me he atrevido a invocar como maestros míos, yo diría que, desde *En la ardiente oscuridad* hasta *La Fundación,* estoy intentando, tal vez quijotescamente, enfrentarme con mis Instituciones, con mis Fundaciones, que son también de todos los presentes. El resultado enjuícienlo ustedes.

(Antonio Buero Vallejo, «Mi teatro», texto de noviembre de 1975, en *Obra Completa,* II, edición crítica de Luis Iglesias Feijoo y de Mariano de Paco, Madrid, Espasa Calpe, 1994, págs. 479-480).

2. RECEPCIÓN DE LA OBRA

2.1. *Opiniones de la crítica periodística posterior al estreno y a la reposición*

¿Qué ha pretendido Buero? [...]. Primero, desde luego, retratar las diversas imágenes de la enajenación en que el hombre «parece perdido», vacío de su ser, alienado en las cosas o en los demás [...]. Si profundizamos en su texto, el objeto reducido a términos dramáticos no es otro que la «condición humana», según la palabra del existencialismo sartriano, es decir, los insuperables límites que nos cercan

y definen [...]. Luego creo que ha perseguido la exaltación de un humanismo acostado hacia la duda y el escepti-
cismo, compensados éstos, paradójicamente, por una ro-
tunda fe en la solidaridad como uno de los fundamentales
valores en la interrelación humana. Por último, poner en
evidencia diversos puntos débiles, por decirlo de alguna
manera, de la sociedad actual y de todas las anteriores,
como la injusticia, la transmutación en la práctica de ciertos valores, etc.

(Eduardo G. Rico, «Anoche se estrenó en el "Fígaro" *La Fundación* de Buero Vallejo», *Pueblo,* 16 de enero de 1974).

Sinceramente creemos que con *La Fundación* estamos
ante una pieza capital en la dramaturgia de Buero. Una,
por de pronto, de las mejor construidas y medidas en diná-
mica y agógica —en su movimiento y en su densidad y
fuerza expresiva— por la tensión latente, creciente, lace-
rante, exasperante de sus acciones dramáticas interiores y
exteriores. Y también de las de más directa y pungente
percusión en ese coro mudo, pero calladamente partici-
pante en el terror, la ilusión, la compasión, la alegría, la
violencia o el dolor ajenos que el público representa, como
elemento fundamental, en la concepción que de la tragedia tiene Buero. En *La Fundación* está implícito Buero al
ciento por ciento. El Buero que no amonesta ni abomina,
ni predica admoniciones, sino que reflexiona y plantea in-
terrogantes. El Buero empecinado en la conquista de una
esperanza trágica, ilusionado con la capacidad del ser humano para trascender sus propias limitaciones, desercio-
nes y caídas.

(José María Claver, «Metamorfosis de las cárceles del alma»,
Ya, 17 de enero de 1974).

He aquí, entre otras cosas más, el tema trágico de la libertad. La libertad como fantasía y la realidad como libertad. Antonio Buero Vallejo ha escrito, tal vez, su mejor obra escénica. Se trata de *La Fundación;* una fábula en dos partes en la que asistimos a un desarrollo denso, difícil, centrado en una acción que no puede considerarse *local* en el más riguroso sentido de la palabra. La problemática que nos plantea es universal, ya que aquí se encierra ni más ni menos que el drama —mejor la tragedia— de la condición humana, en busca de su dignidad y sin condicionamientos a servidumbres innobles. El tema de la dignidad humana, soñada a través de las tinieblas, y en busca de esa salida al misterio de su libertad. El hombre sueña su libertad. A veces, la sueña tan angustiadamente que viene a creerse, como descanso de su agitado anhelo, que ya vive lo que no tiene. Y este es el misterioso juego escénico de la nueva obra de Buero Vallejo, trazada con admirable pulso, sostenida por un diálogo diamantino, sin la más leve concesión al tópico, ni mucho menos a la fácil demagogia.

(M. Díez-Crespo, «En el "Fígaro", *La Fundación,* de Buero Vallejo», *El Alcázar,* 17 de enero de 1974).

Pleno de ritmo y sensibilidad, Pérez de la Fuente ha logrado llevar a los fríos y elegantes muros de una fundación imaginada, los horrores de una cárcel cierta; los horrores de la persecución política con sus secuelas de heroísmo, traición, miedo, sospechas. Y verdades que no se quieren aceptar. Todo está, por supuesto, en *La Fundación,* texto ejemplar y resumen de la mejor dramaturgia de Buero. Pero había que sacarlo a flote, descubriendo procedimientos buerianos muy alejados del realismo testimonial a palo seco. Además de su filiación estilística depurada, *La Fundación* reúne todos los elementos del teatro de Buero Vallejo: conciencia de culpa de los personajes principales, entorno opresivo, injusticia establecida. Y final abierto abocado a la tragedia. A esto Buero lo llamó «esperanza trágica».

(Javier Villán, «Teatro. *La Fundación,* El mejor Buero Vallejo», *El Mundo,* 28 de enero de 1999).

El argumento de la obra —los huéspedes de una lujosa Fundación cultural, que luego se revela como la ilusión de uno de ellos, son en realidad condenados a muerte en una prisión— permitía interpretaciones políticas cercanas cuando se estrenó. Felizmente, la situación en España es muy diferente a la de 1974, cuando José Osuna la puso en escena en el Teatro Fígaro. Pero si la lectura política resulta menos inmediata que entonces, no es menos estremecedora, pues el alegato contra la injusticia, la tortura, la represión, la intolerancia, bien patente en este drama, es de absoluta vigencia en un mundo trizado por guerras sin fin, en el que las desigualdades económicas parecen cada día más insalvables y en el que los asesinatos por motivos religiosos o ideológicos han alcanzado una dimensión aterradora. Como subraya Buero, una parte del mundo vive instalada en las confortables dependencias de una Fundación, adormecida ante el sufrimiento del resto.

En esta línea de denuncia ética, el autor condena expresamente la violencia como recurso frente a las potestades de la razón y la voluntad: debemos salvarnos del envilecimiento al que puede abocarnos la vileza de nuestros verdugos, pues sería asumir sus argumentos. Y hay también, y en este montaje se pone de relieve, una profunda dimensión metafísica de la obra. Todos, como se dice en algún momento, estamos condenados a muerte y nos encontra-

mos presos en sucesivas cárceles cuyos barrotes debemos
ir forzando en busca de nuestra dignidad como seres humanos y de una libertad tal vez imposible de alcanzar.

> (Juan I. García Garzón, «Crítica de teatro. *La Fundación*
> veinticinco años después, de la metáfora política a la metafí-
> sica», *ABC,* 28 de enero de 1999).

2.2. *Opiniones de los estudiosos sobre* La Fundación

La Fundación es una profunda tragedia. Lo es, a pesar
del nombre de fábula con el que el autor la denomina,
puesto que su más hondo significado es el de la búsqueda
de la verdad, que ha de conducir al paisaje sin límites
cuando se haya vencido la negrura subterránea. *La Fundación* dramatiza una investigación que pretende reconciliar
al ser humano con su realidad, como *Edipo rey* y al igual
que toda la producción bueriana, desde *En la ardiente oscuridad* a *Las Meninas* y *El tragaluz* o desde *Madrugada*
a *Jueces en la noche* y *Las trampas del azar.*

Uno de los más caracterizadores elementos de la tragedia bueriana es su apertura, que posibilita la esperanza de
los personajes y, sobre todo del espectador. Cuando en *La
Fundación* Tomás repara en que Lino va a ser acusado de
la muerte de Max, con lo que peligran sus planes de evasión, actúa utilizando su estado anterior de «sueño» para
obtener un resultado positivo, ya que tiene el deber de
vencer. Ante los dos compañeros aparece, aunque sea
«una probabilidad pequeñísima, quizá sólo una ilusión»,
la dudosa libertad a través de las celdas de castigo, el pa-
saje tras el túnel». [...] *La Fundación,* extraordinario
drama en el que Antonio Buero Vallejo recoge ideas y técnicas de su teatro anterior y anticipa elementos de su producción siguiente, es una tragedia en la que la participa-

ción del espectador, la lúcida búsqueda de la verdad y la esperanza agónica (conseguir el luminoso paisaje desde la oscuridad del túnel) tienen una lograda y singular realización dramática.

(Mariano de Paco, «El túnel y el paisaje: realidad y sueño en *La Fundación»*, *Montearabí*, 20 (1995), págs. 54-56).

Toda una vida en la que obra y experiencia personal se funden, transformándose en el escenario en una realidad comunicativa para el espectador de todas las épocas. En el texto hay abundante material autobiográfico, pues, como es sabido, Buero estuvo preso y condenado a muerte en el año 39; y su padre fue asesinado durante la guerra civil en Madrid.

Si hoy vemos lejano en nuestro país, afortunadamente (salvo en los casos aislados de terrorismo), la violencia y el terror a los que la obra alude, no pasa lo mismo con otra de las variables esenciales de la misma, y es la violencia que ejerce la mentira, cubierta —hoy tal vez más que nunca— de una falsa apariencia de paraíso cotidiano. Esa lectura de *La Fundación* adquiere hoy un claro sentido, con las máscaras y maquillajes que sirven para ejercer una distorsión institucionalizada sobre la verdad. Destaca en este sentido la necesidad de una toma de conciencia, que defiende la obra, así como el acercamiento a las zonas de luz que generan la justicia y la dignidad, tan deterioradas detrás de los escaparates de «Gran Fundación» en la que vivimos.

(José Luis Alonso de Santos, «Buero Vallejo frente a la violencia», *El Cultural,* 31 de enero de 1999).

Alguien está fuera de lugar. O ellos, o Tomás con nosotros. Alguien ha engañado a alguien. De aquí arranca la tragedia: la búsqueda dolorosa y perpleja de qué cosa sea la verdad de una realidad que nos está enviando mensajes contradictorios. Y en esa búsqueda Buero nos ha metido a todos, ya desde el primer instante, pues sólo vemos por los ojos de Tomás, sólo vibramos con sus alegrías, sólo nosotros, con él, vislumbramos la inmaculada belleza de Berta.

Buero ha conseguido lo que buscaba: obligarnos a plantearnos el problema de la verdad del mundo. A partir de ese momento, vamos a empezar a cuestionar determinadas actitudes de Tomás, algunos detalles no explicables a primera vista de tan leal Institución. Cuando el Encargado de la Residencia aparezca pulcramente vestido y atento a nuestras —las de Tomás— reclamaciones, no podremos evitar el principio de un escalofrío que nos recorre el cuerpo: estamos empezando a sentir el vértigo de la inautenticidad, la sensación movediza de la alienación. Estamos empezando a hacernos preguntas.

Y empezamos a recordar: pertenecemos todos al mismo mundo. Un mundo en el que son incontables las veces, infinitas las circunstancias injustas que han pasado justo a nuestro lado, a veces hasta salpicarnos. Y hemos vuelto la cabeza, para no ver, porque no estábamos seguros de resistir su visión sin estallar. Y era más cómodo callar. Ante nuestro silencio cómplice han convertido este mundo nuestro en un inmenso campo de concentración, en el que también nosotros estamos. Nuestra inacción les proporciona fuerza. Y hemos sido todos. Ahora lo entendemos: el rencor, la venganza, la desconfianza entre nosotros mismos les da alas a su impunidad.

(Antonio Iniesta Galvañ, *Esperar sin esperanza. El teatro de Antonio Buero Vallejo,* Murcia, Universidad de Murcia-Real Academia de Bellas Artes Santa María de la Arrixaca, 2002, págs. 312-313).

TALLER DE LECTURA

Para leer un texto dramático hay que tener en cuenta, en primer lugar, que el lector debe imaginar el resultado del espectáculo teatral como si estuviese sentado en el patio de butacas de un teatro ante el escenario. Por ello, antes de comenzar la lectura ha de tener en consideración que se halla ante dos realidades:

> *Texto literario:* a través del cual se transmite la trama o argumento por medio de la palabra de los personajes, cuya forma reviste condiciones excepcionales de formulación artística, estilística, ideológica, poética, etc.
>
> *Texto espectacular:* que contiene todos los datos y mensajes referidos a la espacialización del texto literario y medios para la conformación del escenario, movimientos de los personajes, situaciones de ambiente, etc. Las *acotaciones* o *didascalias* contienen cuanta información precisa el lector para imaginar dónde y cómo suceden los hechos en el drama.

La conjunción de ambos elementos es indispensable para el lector de teatro. Podríamos decir que son el fondo y la forma de una misma realidad indisoluble, y a través de ese conjunto el lector se puede convertir en espectador imaginario del espectáculo que el autor le transmite por medio de su texto múltiple. En ambas partes de ese texto pueden contenerse todo tipo de informaciones, de datos sobre el tiempo y el espacio de la representación, los antecedentes próximos y remotos que han conducido a los personajes a la situación presente, que es la que el espectador contempla y la que el lector asume a través de la escritura dramática mostrada en el texto múltiple.

Planteamientos estéticos, transmisión de ideas tanto desde el punto de vista ético como social, político o metafísico, son transmitidos, a través del texto, al espectador.

En el caso de la obra que nos ocupa, *La Fundación,* la relación entre texto y representación es especialmente sólida e indisoluble, ya que el lector, como el espectador que ha tenido la oportunidad de verla representada, ha de ir experimentando una serie de transformaciones de carácter físico y visual, acordes con el proceso de recuperación de la razón por parte del personaje principal. Se ponen de manifiesto estas transformaciones en los cambios del espacio escénico dispuestos en sus acotaciones por Buero Vallejo, de manera que el mundo de la ficción o de lo imaginado (el espacio alucinado de la Fundación en la que se desarrolla la trama) se van convirtiendo poco a poco en otro escenario completamente diferente.

Dos representaciones se han llevado a cabo de *La Fundación.* La primera tuvo lugar en el Teatro Fígaro de Madrid durante el invierno de 1974, en los últimos tiempos de la Dictadura. Se estrenó el día 15 de enero de 1974 (tan sólo unas semanas después del asesinato por ETA del presidente del Gobierno Almirante Carrero Blanco) bajo la dirección de José Osuna, con gran éxito de público y de crítica a pesar de las adversas circunstancias políticas del momento. La representación escénica del drama tuvo muy en cuenta las acotaciones de Buero Vallejo y siguió muy de cerca los procedimientos para la transformación del escenario que el dramaturgo indicaba en sus acotaciones, con un resultado verdaderamente eficaz al lograr sumergir al público en los efectos alucinatorios proyectados por la escenografía y configuración de los personajes.

Muchos años después, en la temporada 1998-1999, y como prueba indudable de la vigencia del teatro de Buero Vallejo, Juan Carlos Pérez de la Fuente llevaría a cabo, nuevamente con gran éxito de público y de crítica, la puesta en escena de *La Fundación,* para el Centro Dramático Nacional en el Teatro María Guerrero. El estreno tuvo lugar el 27 de enero de 1999, es decir, un cuarto de siglo (y algunos días) después de la primera representación. De nuevo, superando la inicial relación con la situación política vigente en el primer estreno, la lección del drama se hizo muy efectiva como alegato contra la injusticia y la opresión de los poderosos, sin duda gracias a una eficaz puesta en escena muy diferente de la de los años setenta, ya que nuevas técnicas, nuevos efectos escénicos y sobre todo nueva representación de la injusticia consiguieron universalizar el conflicto planteado por Buero en su drama original.

LECTURA DRAMATÚRGICA DE *LA FUNDACIÓN*

1. CONTENIDO

La Fundación se anuncia como «fábula en dos partes», y de hecho se trata de una fábula de la que se sirve el autor para plantear ante sus espectadores y lectores un conflicto

básico: el enfrentamiento entre la realidad y la ficción, para
obtener la verdad.

Se ha dicho que en *La Fundación* el espectador va adqui-
riendo de forma paulatina conciencia de la realidad, al
mismo tiempo que va recuperando la lucidez el protagonista de la obra, Tomás.

Tomás va percibiendo de forma paulatina la realidad, y,
con él, todos los lectores y espectadores van descubriendo
que el inicial mundo idílico de la Fundación es falso. El acceso a la realidad va produciendo, hasta la revelación total
de la celda, un proceso muy dramático y torturador.

Frente al mundo idílico de la Fundación se sitúa el mundo
cerrado de la prisión, que traerá consigo reflexiones sobre la
ausencia de la libertad, la tortura, la delación, la violencia y
la muerte. El espectador conoce, por medio de los efectos de
inmersión, qué es lo que está ocurriendo en realidad.

Perfectamente estructurada por Buero en dos partes, ambas compuestas de dos cuadros, se desarrolla en estos cuatro compartimentos un argumento absolutamente nítido,
siempre que el espectador y el lector asuman plenamente
las consecuencias de los llamados efectos de inmersión y se
conduzca a través de las dos líneas argumentales básicas:
desde la fundación a la cárcel y desde la cárcel a la libertad.
En el primero se produce el descubrimiento, coincidente
con la desajenación de Tomás, de su condición de delator.
En el segundo se prepara el plan de fuga, con un nuevo delator y un final abierto, en el que Tomás se redime al pasar
a la acción, en busca de la verdad y de la libertad.

> — Señala cuál es el tema central de la fábula y cómo
> se desarrolla ante el espectador. Una vez que hayas
> fijado el tema, tan trascendente en nuestra historia li-
> teraria, deberías relacionarlo con otras grandes obras

del patrimonio literario español. Te proponemos dos especialmente representativas, sugeridas por el propio Buero Vallejo: El *Quijote*, de Miguel de Cervantes, y *La vida es sueño*, de Calderón de la Barca, como procesos de enfrentamiento de realidad y fantasía en busca de la verdad. Puedes hallar otros muchos ejemplos en la historia literaria universal. Pero sería interesante que, al realizar la comparación, obtuvieses respuestas a la cuestión del universalismo del conflicto planteado por Buero.

— Resume, atendiendo a toda clase de detalles precisos, el complejo argumento del drama y la sucesiva presencia de situaciones conflictivas, actitudes de los personajes, reacciones y proyectos de los mismos. En esta redacción del argumento, se tendrá muy en cuenta la presencia de Berta y de todos aquellos hechos que reflejan la alucinación de Tomás.

— Descubre la clave formal bajo la cual se desarrolla este drama y relaciona los momentos en que se va produciendo ese cambio de ficción a realidad, así como los elementos escénicos que van marcando esos cambios y expresando el cese de la alucinación de Tomás.

— Valora la significación, en el marco de la obra, de esta crisis de la realidad y de cómo la ficción puede encubrir la mentira, de acuerdo con los planteamientos generales de signo ético que caracterizan al teatro de Buero Vallejo.

2. GÉNERO

Buero Vallejo subtitula *La Fundación* con la denominación de «fábula en dos partes». Pero desde los primeros críticos, al día siguiente del estreno, se la ha considerado como una tragedia. De todas las definiciones que da el Diccionario de la Academia de «fábula», sin duda Buero estaba utilizando, en sentido figurado, la que la describe así: «Composición literaria, generalmente en verso, en que por medio de una ficción alegórica y de la representación de personas humanas y la personificación de seres irracionales, o bien inanimados o abstractos, se da una enseñanza útil o moral». Pero no hay duda que *La Fundación* supera el sentido literal expresado en esta definición y va mucho más allá, hacia la dignidad y excelencia de la tragedia, ya que sus conflictos afectan al destino de los seres humanos.

Si volvemos al diccionario y leemos las dos definiciones de tragedia, advertiremos lo próximo que está Buero Vallejo a este género: «Obra dramática cuya acción presenta conflictos de apariencia fatal que mueven a compasión y espanto, con el fin de purificar estas pasiones en el espectador y llevarle a considerar el enigma del destino humano, y en la cual la pugna entre libertad y necesidad termina en un desenlace funesto». O «Subgénero dramático al cual pertenecen las obras cuyos protagonistas acometen inflexiblemente determinadas empresas, o se dejan llevar de pasiones que desembocan en un final funesto».

El propio Buero Vallejo reiteró en numerosas ocasiones el carácter trágico de su teatro. Y es que toda su obra responde a una cosmovisión trágica que pretende ante todo reflejar los afanes de las personas en el entorno social que les ha correspondido vivir. Él mismo destacó las posibilidades del género no sólo para la depuración por medio de la catarsis, sino como crítica inquietante, como ruptura del sistema de opiniones que seres humanos y sociedades se fabrican para no comprometerse. Una peculiaridad del concepto de tragedia asumido por Buero radica en su condición de tragedia esperanzada, de manera que el espectador experimenta la catarsis al reconocer los males que los personajes no consiguieron evitar, del mismo modo que se ve obligado a actuar, a tomar parte en el conflicto y luchar contra los desastres que lo produjeron.

En *La Fundación* se plantean, con toda claridad, conflictos de carácter trágico, se abre a la esperanza y se invita al espectador a actuar, en un futuro incierto, contra los enemigos que provocan esa situación trágica. Buero la consideraba, en efecto, una tragedia, aunque no a la manera clásica, sino como denuncia de comportamientos éticos, socio-políticos y metafísicos censurables. El enfrentamiento entre realidad y ficción y la búsqueda de la autenticidad marcan el sentido de esta nueva cosmovisión trágica.

— Señala, en el comportamiento de los cinco condenados, su reacción ante la amenaza cierta de la muerte, «final funesto» predecible para ellos.

— Valora las tensiones conflictivas que se producen entre los cinco personajes, que compartían antes los mismos ideales, y cómo van destruyendo la convivencia de forma trágica.

— Descubre los hechos opresivos, la violencia reflejada en el drama y sobre todo el enmascaramiento de la realidad como recursos propios de la tragedia.

— Relaciona los comportamientos individuales de los cinco personajes con una cosmovisión más compleja de carácter socio-político producida por las relaciones entre ellos y con el mundo exterior, y destaca la elevación a un plano general o universal de la trágica situación concreta de estos individuos.

— Valora, en el análisis de la cosmovisión trágica de *La Fundación,* su condición existencial y metafísica, desde el momento en que la Fundación es una cárcel y cuando Asel afirma que tras esta cárcel hay otra y otra detrás de aquella.

— La aspiración a la verdad y a la libertad sólo es posible a través de la acción. Señala los momentos en que, entre los personajes, se llega a la conclusión de que ese es el único medio de superar la situación trágica presente.

— Explica la conclusión esperanzada de esta tragedia y señala los medios que Buero ha dispuesto en ella para implicar al espectador en esa conclusión positiva.

3. ACOTACIONES

Todo el teatro de Buero Vallejo está caracterizado por la extensión y precisión de sus acotaciones, que, para el dramaturgo, han sido siempre fundamentales. Los lectores de teatro tienen que agradecer a Buero lo detallado de sus acotaciones, que nos permiten imaginar espacios, escenas, tiempos y actitudes con numerosos pormenores. En el caso de *La Fundación* las acotaciones son particularmente necesarias o imprescindibles, sobre todo a la hora de expresar los efectos mutadores (los conocidos como «efectos de inmersión») que son clave en el desarrollo de la pieza y en su recepción por el espectador.

— Examina algunas de las más extensas acotaciones y trata de componer la escena elegida.

— Rastrea la obra en busca de aquellas acotaciones que aparecen suministradas de forma paulatina en relación con la actitud de los personajes.

    — Intenta, tras elegir alguna escena determinada, situar los objetos sugeridos y a los personajes, así como sus movimientos en escena.

    — Discute, de acuerdo con tus preferencias, si es mejor unas acotaciones absolutamente detalladas o simplemente referencias meramente sugeridas. Intenta reducir una de las escenas a acotaciones mínimas. Comenta los resultados obtenidos.

4. TIEMPO

A la hora de analizar el concepto de tiempo en *La Fundación* hay que referirse a tres dimensiones diferentes: por un lado el tiempo en que la obra transcurre, por otro el propio tiempo dramático de la pieza y, finalmente, el tiempo metafísico de la pieza, en el que confluyen pasado, presente y futuro.

La obra fue escrita en los primeros años setenta, al final, como ya sabemos, de la Dictadura de Franco. Los hechos aludidos en la obra no parecen, sin embargo, haber sucedido en esos años concretos, ni quizá en las décadas anteriores, cuando la Dictadura desarrolló el aparato represivo con mayor intensidad o fuerza. Aunque sabemos que hay un trasfondo biográfico en la obra, reconocido por el propio Buero Vallejo, la obra no sucede en un tiempo concreto, como tampoco (según hemos de ver más adelante) transcurre en un espacio determinado. La no concreción tempo-espacial es totalmente intencionada y persigue la vigencia de la lección ética, social y metafísica contenida en el drama.

Por otro lado, hay que tener presente cuál es el tiempo dramático de la obra ante el espectador. En alguna de sus otras obras, como en *El tragaluz,* Buero ha llevado a cabo un mayor atrevimiento a la hora de establecer los tiempos del drama. En la obra citada se juzga desde el futuro, el presente y también el pasado. En *La Fundación* los hechos suceden *in media res*. Cuando la obra comienza, los personajes se hallan en una situación determinada a consecuencia de acciones que han sucedido en el inmediato pasado, y que el espectador irá conociendo a lo largo del drama según vayan aludiendo a ella los diferentes personajes.

Por último, hay que aludir al tiempo metafísico. Buero Vallejo ha señalado que una de las fuentes de inspiración de *La Fundación* es el cuento «Las nubes», del libro *Castilla* de Azorín, en donde su autor, siguiendo a Nietzsche plantea la teoría del eterno retorno, anunciada por Buero al final de la obra. El tiempo para Nietzsche es un instante fugaz precedido de la nada y seguido de la nada. Sólo el presente más inmediato existe, porque el pasado fue y el futuro todavía no ha sido. Para *Azorín,* el eterno retorno es, sin embargo, una capacidad para vivir de nuevo el tiempo: el tiempo presente en un paisaje castellano o en un libro español, como lo es *La Celestina,* cuyos personajes vuelven a vivir en «Las nubes». «Vivir es ver volver; volver en un retorno perdurable, eterno». En *La Fundación*, Tomás afirma que «el tiempo es otra ilusión» y que el futuro «de algún modo, existe ya». Asel, por su parte, señala de forma irónica, que el tiempo es un «presente eterno». Cuando al final del drama, el Encargado, con su más obsequiosa sonrisa, invite a entrar en el aposento a nuevos visitantes, el engaño de la Fundación vuelve a empezar en un eterno retorno imparable.

— Reflexiona sobre las diferentes posibilidades del análisis del tiempo sugeridas, y busca en la obra las referencias múltiples que se hacen al tiempo real, al tiempo dramático y al tiempo metafísico. Del mismo modo, reconstruye la biografía de los personajes, recuperando de sus palabras y referencias, el transcurso de su vida hasta que llega al momento del comienzo del drama.

— Imagina el futuro de los personajes del drama, más allá del tiempo real del mismo. Como es sabido, Buero Vallejo deja abierto el final de la pieza. Él mismo aseguró que no sabía cuál era el destino de Tomás y de Lino: si lograrán escapar, si irán a otra cárcel y de esa a otra, si morirán ejecutados... Desarrolla igualmente cuál será el futuro de la Fundación, tal como vemos que sucede en los últimos momentos de la obra.

— Valora la importancia que tiene la ejecución de la *pastoral* de la obertura de *Guillermo Tell* de Rossini, «fragmento que no obstante su brevedad recomienza sin interrupción», por qué se ofrece reiterándose sin cesar, y por qué vuelve a oírse al final, primero suave y, remotamente, luego más fuerte.

5. ESPACIO

«En un país desconocido», se dice en la página de reparto de la obra. Desde el inicio, Buero Vallejo quiere que la acción transcurra en un lugar indeterminado, que puede ser cualquier lugar y en cualquier época, donde se haya sufrido en el pasado (o se sufra en el presente, esa sería la lección de este drama) persecución política, represión policial y cárcel por motivos de ideas. El espectador se siente conmovido por la situación al comprenderla como posible siempre entre los seres humanos, por encima de regímenes,

por encima de civilizaciones. Buero no concreta el lugar
dónde la obra se desarrolla y ni siquiera, a través de los personajes, llega a indicar aproximadamente el lugar en que
sucede. Un personaje del drama dice: «¿Habré de recordarte dónde estamos y con cuál de esas matanzas nos enfrentamos nosotros? No. Tú lo recordarás». Buero, al tomar
esta importante decisión, lo que pretende es superar las circunstancias concretas de una obra que se estrenará en un
lugar determinado y que los espectadores podrán relacionar
con su espacio y con su tiempo. De esta forma amplía totalmente la perspectiva de unos hechos que podrían reducirse
a un espacio concreto.

Desde otro punto de vista, hay que tener en cuenta cómo
se configura el propio espacio escénico, partiendo de la idílica Fundación inicial, para llegar a la prisión en la que la
obra se desarrolla. En relación con la parte más grata, es
muy importante el ventanal a través del cual se divisa un
paisaje agradable, relacionable con la pintura de Turner,
aludida en el drama por Buero Vallejo. Del *locus amoenus,*
en que la obra se inicia, al espacio carcelario, se suceden
espacios intermedios, que van revelando el anuncio de la
realidad real.

— Reflexiona sobre las intenciones de Buero Vallejo al no ubicar su obra en un lugar concreto, y discute si se trata de un gesto de interesada cesión a la
ambigüedad o si su propósito es universalizador y
superador de un entorno concreto.
— Relaciona tu respuesta con la situación de España
en el momento del estreno de la obra en 1974, y la situación actual de nuestra sociedad, sometida a elementos negativos que alteran la convivencia, tales
como la violencia, el terrorismo, la amenaza de la

guerra, la corrupción, la falsedad en las relaciones sociales, etc.

— Comprueba si la situación expresada en este drama puede darse, de forma precisa, en algún país del mundo en nuestro tiempo. Piensa en Sudamérica, en los países árabes, en muchas naciones del tercer mundo. Reflexiona también si la situación de la obra puede darse hoy en sociedades contemporáneas que pasan por ser democráticas y civilizadas, pero donde muchas veces sabemos que se practica la persecución social, política y policial por cuestión de las ideas, por razones de religión, de raza o de posición social. Relaciona la realidad de la violencia en la sociedad contemporánea con el significado y los propósitos éticos desarrollados en este drama por Buero Vallejo.

— Describe el espacio inicial de la obra, la famosa Fundación, y relaciónala con el *locus amoenus,* suministrado por la literatura clásica. En todo caso, localiza pinturas de Turner y comprueba lo que este pintor inglés aporta en la imaginación de Tomás a tan idílico lugar.

6. PERSONAJES

Perfectamente identificados y con una personalidad diferente, destacan entre los personajes de la obra los cinco presos: Tomás, Tulio, Max, Asel y Lino. Cada uno de ellos contiene valores simbólicos. Pero, sin duda, es Tomás el que soporta, en su personalidad cambiante, todo el peso de la obra, y, gracias a él y a su proceso de desalucinación, es como los espectadores y lectores llegan a conocer el signi-

ficado pleno del drama. Justamente, Tomás jamás abandona
la escena, lo cual, además de ser muy llamativo e insólito,
tiene un significado especial. Además, otros personajes
aparecen en escena. Sobresale igualmente Berta, personaje
imaginario, como poco a poco sabremos, la amada de Tomás y sobre la que gravitan consideraciones sobre el amor
ideal, en un mundo ideal. También el Hombre y los diferentes empleados de la cárcel.

— Realiza una descripción física de cada uno de los
cinco presos. Para ello, tendrás en cuenta las mutaciones que se van operando en cuanto a su vestimenta, así como el momento de las mutaciones externas. Deberás relacionarlo con el proceso escénico
y el desarrollo del argumento. Tal como indican las
acotaciones de Buero el cambio de vestimenta es
paulatino, aunque en la última representación se
optó por hacerlo de forma brusca. Es importante tener en cuenta los cambios en el color de las vesti-
mentas.
— Caracteriza psicológicamente sus personalida-
des. Sin duda, tendrás en cuenta todo lo que dicen,
cómo lo dicen y cuándo lo dicen. Pero es también capital para esta reflexión atender a sus actitudes, sus
silencios, sus miradas desviadas, etc.
— Indaga y define los valores simbólicos de cada
uno de los cinco, es decir, lo que cada uno significa
como representación de una actitud humana, positiva
o negativa.
— Describe el papel estructural y escénico que
corresponde a Tomás, indicando los diferentes y sucesivos pasos que atraviesa hasta llegar a la realidad.
Anota igualmente aquellos elementos del escenario

que van mutándose conforme avanza su proceso de
llegada a la razón. Justifica su cambio de actitud final.
— Valora la presencia de Berta y caracterízala por
su forma de expresión y por su actitud tal como aparece en escena, para posteriormente desarrollar una
reflexión sobre la amada imaginaria (en relación con
otros ejemplos de la literatura universal, Dulcinea,
etc.); y sitúa su significado, ya que, sin ser real en el
presente, sí es real en la memoria, en el recuerdo de
Tomás.
— Valora la presencia de Berta en la imaginación de
Tomás como una especie de desdoblamiento de la
personalidad del muchacho y trata de probar, con los
textos adecuados, la realidad de esta condición psi-
cológica.

7. LENGUAJE DRAMÁTICO

El lenguaje dramático está compuesto por la multitud de
códigos y sugerencias que poseen valor dramatúrgico. Va-
lorar su función en el desarrollo de la pieza y en cómo llega
el mensaje a través de ellos al espectador es fundamental
en todo análisis teatral. Aunque en *La Fundación,* como en
cualquier otra obra de Buero, este aspecto es riquísimo,
conviene reparar en aquellos pormenores del lenguaje dramático que son más originales en él y que forman parte de
su estilo inconfundible como autor teatral, tales como las
referencias a la música y a la pintura que son habituales en
su teatro, y que en *La Fundación* adquieren una pertinencia
sobresaliente.
Del mismo modo, en esta obra sobresale otro recurso ya
utilizado por Buero en su teatro: los llamados «efectos de

inmersión», potenciados de manera especial, ya que no se trata tan sólo de una sordera, una ceguera o una mudez, sino de una enajenación mental total, producida con un lenguaje muy efectista y emparentable con el barroco, con el fin de mostrar el juego del ser y del parecer; en enfrentamiento de la realidad con la ficción.

— Vuelve a reflexionar, ahora desde el punto de vista dramatúrgico, sobre el papel de la *pastoral* de la obertura de la ópera *Guillermo Tell* de Rossini, al comienzo y al final de la pieza, en relación con el género pastoril renacentista, el *locus amoenus* y «el paisaje esmeraldino y puro».

— Enumera las referencias pictóricas presentes en *La Fundación.*

— Indaga el significado de la comparación entre dos pinturas citadas: *El pintor en su taller* de Vermeer y *El matrimonio Arnolfini* de Van Eyck. Localiza estas pinturas y compáralas, asimismo, con alguno de los cuadros de Ter Boch. Explica, una vez analizados estos cuadros, la alucinación de Tomás y las correcciones de Tulio.

— Tras localizar pinturas de Botticelli, El Greco, Velázquez, Rembrandt, Goya, Chardin…, analiza el sentido que tiene este intermedio pictórico en la pieza y ponlo en relación con otras obras de Buero que tengan que ver con pintores (Velázquez, Goya…) y con la pintura.

— Localiza pinturas de Turner y ponlas en relación con el ventanal de la Fundación.

— Tras localizar algún cuadro animalista de Tom Murray, analiza la simbología de este pintor en relación con la alucinación de Tomás.

— Relaciona los efectos de inmersión con la tradición barroca del ser y del parecer, con Cervantes *(Quijote,* entremeses) y con otras obras de Buero Vallejo.

— Plantea, partiendo del lenguaje dramático de *La Fundación,* una dialéctica entre objetividad y subjetividad a la hora de percibir la realidad, y los efectos que esta contraposición tiene en la conformación de la pieza.

8. Conclusión

— Lee las reseñas recogidas de la primera representación (apartado 2.1. de la Documentación complementaria, págs. 210-214) y destaca lo más sobresaliente en relación con la actualidad (en ese momento) de *La Fundación*.

— Tras hacer una lectura de similares textos, correspondientes a la reposición de los años noventa (apartados 2.1. y 2.2. de la Documentación complementaria, págs. 210-216), reflexiona y discute las observaciones en torno a la pertinencia del drama en el tiempo presente.

— Después de hacer una lectura reflexiva y meditada del poema de Buero «La Fundación» (apartado 1. de la Documentación complementaria, págs. 208-209), ponlo en relación con los diversos momentos del drama en él evocados y extrae de su texto las informaciones y reflexiones que Buero suministra para una mejor comprensión de su cosmovisión trágica en esta pieza en concreto y en todo su teatro. Destaca la presencia de la esperanza final.

— Plantea la vigencia de la obra ante el espectador:
— como individuo que se ve comprometido por el conflicto en ella planteado.
— como perteneciente a una colectividad con la que ha de convivir.
— como ser humano limitado sometido a fuerzas superiores que determinan su destino.

(Agradezco a Virtudes Serrano su desinteresada ayuda en la realización de esta Guía de lectura con la aportación de sugerencias y documentos que lo han enriquecido notablemente).

BIBLIOGRAFÍA ACTUALIZADA

Esta bibliografía amplía y actualiza la ya existente en la edición, págs. 39-44.

ESTUDIOS Y COMPILACIONES SOBRE BUERO VALLEJO

AA.VV., *Antonio Buero Vallejo. Premio de Literatura en lengua castellana «Miguel de Cervantes» 1986,* Barcelona, Anthropos-Ministerio de Cultura, 1987.

—, *Antonio Buero Vallejo. Premio Miguel de Cervantes [1986],* Madrid, Biblioteca Nacional, 1987.

AGUILAR SERRANO, Pedro, y JORDA VIEJO, Sonia (eds.), *Regreso a Buero Vallejo,* Guadalajara, Ayuntamiento, 2000.

Anthropos, núm. 79, diciembre de 1987 (monográfico dedicado a Buero).

BOBES NAVES, Jovita, *Aspectos semiológicos del teatro de Buero Vallejo,* Kassel, Reichenberger, 1997.

BRIZUELA, Mabel, *Los procesos semióticos en el teatro. Análisis de «Las meninas» y «El sueño de la razón» de Antonio Buero Vallejo,* Kassel, Reichenberger, 2000.

Buero por Buero. Conversaciones con Francisco Torres Monreal, Madrid, Asociación de Autores de Teatro, 1993.

CARO DUGO, Carmen, *The Importance of the Don Quixote Myth in the Works of Antonio Buero Vallejo,* Lewiston, Mellen University Press, 1995.

Cuadernos de Ágora, 79-82, mayo-agosto 1963 (monográfico dedicado a Buero).

Cuadernos El Público, núm. 13, abril 1986 (monográfico, Regreso a Buero Vallejo).

CUEVAS GARCÍA, Cristóbal, (dir.), *El teatro de Buero Vallejo. Texto y espectáculo,* Barcelona, Anthropos, 1990.

DIXON, Victor, y JOHNSTON, David, (eds.), *El teatro de Buero Vallejo. Homenaje del hispanismo británico e irlandés,* Liverpool University Press, 1996.

Estreno, V, 1, primavera 1979 (monográfico dedicado a Buero).

Estreno, XVII, 1, primavera 2001 (monográfico dedicado a Buero).

FUENTE, Ricardo de la, y GUTIÉRREZ, Fabián, *Cómo leer a Antonio Buero Vallejo,* Madrid-Gijón, Júcar, 1992.

GERONA LLAMAZARES, José Luis, *Discapacidades y minusvalías en la obra teatral de D. Antonio Buero Vallejo (Apuntes psicológicos y psicopatológicos sobre el arte dramático como método de exploración de la realidad humana),* Madrid, Universidad Complutense, 1991.

GRIMM, Reinhold, *Ein iberischer «Gegenentwurf»? Antonio Buero Vallejo, Brecht und das moderne Welttheater,* Kopenhagen-München, Wilhelm Fink, 1991.

HALSEY, Martha T., *From Dictatorship to Democracy, The Recent Plays of Antonio Buero Vallejo (From La Fundación to Música cercana),* Ottawa, Dovehouse Editions, 1994.

HÄRTINGER, Heribert, *Oppositionstheater in der Diktadur. Spanienkritik im Werk des Dramatikers Antonio Buero Vallejo vor dem Hintergrund der franquistischen Zensur,* Wilhelmsfeld, Gottfried Egert, 1997.

IGLESIAS FEIJOO, Luis, y PACO, Mariano de, Introducción a su edición crítica de Antonio Buero Vallejo, *Obra Completa,* Madrid, Espasa Calpe, Clásicos Castellanos, 1994, vol. I, págs. IX-CIX.

INIESTA GALVAÑ, Antonio, *Esperar sin esperanza. El teatro de Antonio Buero Vallejo,* Murcia, Universidad de Murcia-Real Academia de Bellas Artes Santa María de la Arrixaca, 2002.

LEYRA, Ana María (coord.), *Antonio Buero Vallejo. Literatura y Filosofía,* Madrid, Complutense, 1998.

Montearabí, 23, 1997 (monográfico dedicado a Buero).

NEWMAN, Jean Cross, *Conciencia, culpa y trauma en el teatro de Antonio Buero Vallejo,* Valencia, Albatros-Hispanófila, 1992.

O'CONNOR, Patricia W., *Antonio Buero Vallejo en sus espejos,* Madrid, Fundamentos, 1996.

PACO, Mariano de, *De re bueriana (Sobre el autor y las obras),* Murcia, Universidad, 1994.

—, *Antonio Buero Vallejo en el teatro actual,* Murcia, Escuela Superior de Arte Dramático, 1998.

—, (ed.), *Memoria de Buero,* Murcia, CajaMurcia, 2000.

PACO, Mariano de, y DÍEZ DE REVENGA, Francisco Javier (eds.), *Antonio Buero Vallejo dramaturgo universal,* Murcia, CajaMurcia, 2001.

PAJÓN MECLOY, Enrique, *El teatro de A. Buero Vallejo, marginalidad e infinito,* Madrid, Fundamentos, Espiral Hispanoamericana, 1991.

PÉREZ HENARES, Antonio, *Antonio Buero Vallejo. Una digna lealtad,* Toledo, Junta de Comunidades de Castilla-La Mancha, 1998.

PUENTE SAMANIEGO, Pilar de la, *Antonio Buero Vallejo. Proceso a la historia de España,* Salamanca, Universidad, 1988.

RICE, Mary, *Distancia e inmersión en el teatro de Buero Vallejo,* New York, Peter Lang, 1992.

SCHMIDHUBER, Guillermo, *Teatro e historia. Parangón entre Buero Vallejo y Usigli,* Monterrey, Gobierno del Estado de Nuevo León, 1992.

SERRANO, Virtudes, y PACO, Mariano de, (eds.), *Antonio Buero Vallejo. La realidad iluminada,* Madrid, Fundación Cultura y Deporte de Castilla-La Mancha, 2000.

TRAPERO LLOBERA, Patricia, *El tragaluz. Antonio Buero Vallejo,* Palma de Mallorca, Monograma, 1995.

LIBROS Y ESTUDIOS QUE INCLUYEN A BUERO

ABUÍN, Ángel, *El narrador en el teatro. La mediación como procedimiento en el discurso teatral del siglo XX,* Santiago de Compostela, Universidad, 1997.

AZNAR SOLER, Manuel (ed.), *Veinte años de teatro y democracia en España (1975-1995),* Sant Cugat del Vallès, Cop d'Idees-CITEC, 1996.

BALESTRINO, Graciela, y SOSA, Marcela, *El bisel del espejo. La reescritura en el teatro contemporáneo español e hispanoamericano,* Salta, Universidad, Cuadernos del CESICA, 1997.

BARRERO PÉREZ, Óscar, *Historia de la literatura española contemporánea (1939-1990),* Madrid, Istmo, 1992.

BERENGUER, Ángel, y PÉREZ, Manuel, *Tendencias del teatro español durante la transición política (1975-1982),* Madrid, Biblioteca Nueva, 1998.

BONNÍN VALLS, Ignacio, *El teatro español desde 1940 a 1980. Estudio histórico-crítico de tendencias y autores,* Barcelona, Octaedro, 1998.

CENTENO, Enrique, *La escena española actual (Crónica de una década, 1984-1994)*, Madrid, Sociedad General de Autores y Editores, 1996.

CONDE GUERRI, María José, *Panorámica del teatro español (1940-1980)*, Madrid, Asociación de Autores de Teatro, 1994.

FERRERAS, Juan Ignacio, *El teatro en el siglo XX (desde 1939)*, Madrid, Taurus, 1988.

FLOECK, Wilfried, (ed.), *Spanisches Theater im 20. Jahrhundert. Gestalten und Tendenzen*, Tübingen, Franke, 1990.

FRITZ, Herbert, *Der Traum im spanischen Gegenwartsdrama*, Frankfurt, Vervuert, 1996.

GABRIELE, John P., *De lo particular a lo universal. El teatro español del siglo XX y su contexto*, Frankfurt am Main, Vervuert, 1994.

GARCÍA, Crisógono, *Estrenos teatrales en el Madrid de las últimas décadas*, Madrid, Grupo Libro 88, 1993.

GARCÍA RUIZ, Víctor, *Continuidad y ruptura en el teatro español de la posguerra*, Pamplona, Eunsa, 1999.

GARCÍA TEMPLADO, José, *El teatro español actual*, Madrid, Anaya, Biblioteca Básica de Literatura, 1992.

GÓMEZ GARCÍA, Manuel, *El teatro de autor en España (1901-2000)*, Madrid, Asociación de Autores de Teatro, 1996.

HALSEY, Martha T., y ZATLIN, Phyllis (eds.), *The Contemporary Spanish Theatre*, New York, University Press of America, 1988.

—, *Entre Actos, Diálogos sobre teatro español entre siglos*, State College, The Pennsylvania State University, Estreno, 1999.

HUERTA CALVO, Javier, *El teatro en el siglo XX*, Madrid, Playor, 1985.

MIRA NOUSELLES, Alberto, *De silencios y espejos. Hacia una estética del teatro español contemporáneo,* Valencia, Universidad, 1996.

NEUSCHÄFER, Hans-Jörg, *Adiós a la España eterna. La dialéctica de la censura. Novela, teatro y cine bajo el franquismo,* Barcelona, Anthropos, 1994.

NICHOLAS, Robert L., *El sainete serio,* Murcia, Universidad, Cuadernos de la Cátedra de Teatro, 1992.

PEDRAZA JIMÉNEZ, Felipe, y B.-RODRÍGUEZ CÁCERES, Milagros, *Manual de literatura española. XIV. Posguerra, dramaturgos y ensayistas,* Pamplona, Cénlit, 1995.

RAGUÉ ARIAS, María José, *Lo que fue Troya. Los mitos griegos en el teatro español actual,* Madrid, Asociación de Autores de Teatro, 1992.

—, *El teatro de fin de milenio en España (De 1975 hasta hoy),* Barcelona, Ariel, 1996.

RICO, Francisco, y otros, *Historia y crítica de la literatura española;* vols.: 8 (Época contemporánea, 1939-1975), 9 (Los nuevos nombres, 1975-1990) y 8/1 (Época contemporánea, 1939-1975. Primer suplemento), Barcelona, Crítica, 1981, 1992 y 1999 respect.

ROMERA CASTILLO, José, y GUTIÉRREZ CARBAJO, Francisco (eds.), *Teatro histórico (1975-1998). Textos y representaciones,* Madrid, Visor, 1999.

RUGGERI MARCHETTI, Magda, *Studi sul teatro spagnolo del novecento,* Bologna, Pitagora, 1993.

SANZ VILLANUEVA, Santos, *Literatura actual,* Barcelona, Ariel, 1984.

SORDO, Enrique, «El teatro español desde 1936 hasta 1966», en Guillermo Díaz Plaja, (dir.), *Historia general de las literaturas hispánicas,* Barcelona, Vergara, 1968.

TORO, Alfonso de, y FLOECK, Wilfried (eds.), *Teatro espa-*

ñol contemporáneo. *Autores y tendencias,* Kassel, Rei-chenberger, 1995.

VALBUENA PRAT, Ángel, *Historia del teatro español,* Barcelona, Noguer, 1956.

ESTUDIOS Y ARTÍCULOS SOBRE *LA FUNDACIÓN*

ALONSO DE SANTOS, J. L., «Buero Vallejo frente a la violencia», *El Cultural,* 31 de enero de 1999.

CUADROS, Carlos, *«La Fundación,* de Buero Vallejo, en el CDN. Los ojos de espectador», *Época,* 25 de enero de 1999.

DIXON, Victor, *«La Fundación* de Buero Vallejo, una recreación de *La vida es sueño»,* en Halsey y Zatlin, *Entre actos.*

DOMÉNECH, Ricardo, «Una tragedia de nuestro tiempo», *La Fundación,* Madrid, Centro Dramático Nacional. Teatro María Guerrero, 1999.

GABRIELE, John, «Projection of the Unconcious Self in Buero's Theater *(El concierto de San Ovidio, La Fundación, Diálogo secreto)»*, *Neophilologus,* 78.2 (1994).

GARCÍA GARZÓN, Juan I., «Crítica de teatro. *La Fundación* veinticinco años después, de la metáfora política a la metafísica», *ABC,* 28 de enero de 1999.

HARO TECGLEN, Eduardo, *«La Fundación.* Holograma», *El País,* 28 de enero de 1999.

HOLT, Marion Peter, «Madrid: Buero's *La Fundación at the Centro Dramático Nacional», Western European Stages,* 11.2 (1999).

LISÓN, Antonio, *La Fundación* de Antonio Buero Vallejo, *Cuaderno Pedagógico,* 10, Madrid, Centro Dramático Nacional. Teatro María Guerrero, 1999.

MONLEÓN, José, «*La Fundación,* un título para el repertorio democrático», *Primer Acto,* 277 (1999).

MUÑOZ CÁLIZ, Berta, «*La Fundación* ante la censura franquista», *Primer Acto,* 277 (1999).

PACO, MARIANO de, «Los significados de *La Fundación*», *La Fundación,* Madrid, Centro Dramático Nacional. Teatro María Guerrero, 1999.

—, «El túnel y el paisaje: realidad y sueño en *La Fundación*», *Montearabí,* 20 (1995).

—, «Los dos estrenos de *La Fundación*», *Anuario Teatral 1999.* Centro de Documentación Teatral, Madrid, 2000.

PÉREZ DE LA FUENTE, Juan Carlos, *La Fundación,* Madrid, Centro Dramático Nacional, 1999.

—, «Notas a la puesta en escena de *La Fundación*», *ADE Teatro,* 74 (1999).

VILLÁN, Javier, «La tercera vía», *El Mundo,* 23 de enero de 1999.

—, «Teatro. *La Fundación.* El mejor Buero Vallejo», *El Mundo,* 28 de enero de 1999.

VIZCAÍNO, Juan Antonio: «El fabricante de sueños. Ayer se estrenó en Madrid la versión de Pérez de la Fuente de *La Fundación*», *La Razón,* 28 de enero de 1999.

AUSTRAL

IMPRESO EN CPI (BARCELONA)
c/ TORREBOVERA, s/n (ESQUINA c/ SEVILLA), NAVE 1
08740 SANT ANDREU DE LA BARCA